從英文繪本吸收教養正能量

當孩子的伯樂

藉由一本本繪本故事
與爸爸媽媽談心
一起感受繪本中
文字、圖像
與意象交織而成的美好

李貞慧　著

Let Them Shine
Parenting Tips from English Picture Books

目錄

推薦文

一本對於如何入手英文繪本於孩子教養很有啟發的書

　　接到推薦文撰寫邀請時，當時在學校正在思考國中教育會考前一週如何幫學生複習英語科，好讓他們考會考英語時能夠信心滿滿去應試，尤其我們學校英語科依據教育部的分科分組，我帶的班是 B 組班，英語科中低成就的孩子占了大部分，當我有了小孩後，透過每天念英語繪本和播放英語童謠歌曲或是卡通給自己的小孩聽或欣賞，也找到了對於英語科低成就孩子的英語學習方式與素材，但是當時市面上有的英語繪本推薦書比較偏向幼兒園或是國小，有的推薦的讀本又偏向從小雙語或全美語環境的小孩，很難轉化到自己沒有全美語學習環境的小孩和我這些英語低成就的孩子身上，只好自己不斷嘗試摸索，當然針對 A 組班的學生我也會帶繪本融入議題閱讀寫作，直到接觸到貞慧老師的書，不管是《用英文繪本提升孩子 - 的人文素養》、或是《不要小看我：33 本給大人的療癒暖心英文繪本》、到《繪本 100+，輕鬆打造英語文法力》，更甚至《繪本給你教養力》等書籍，閱讀後都讓我從有了對於從小沒有讀過英語繪本又身為公立國中英語老師的我有非常大的感動與體悟。

　　在這本新書中，貞慧老師藉由精心挑選的英語繪本介紹提供自

己的親子教養方式，除了讓我知道可以如何融入我國中英語教學之外，更重要的是我藉以反思我的親子英語繪本教養，在閱讀的過程中，貞慧老師用了「貞慧說說話」分享了透過繪本如何提供更棒的親子教養互動與方式，好多更讓我邊閱讀邊偷笑，因為真的就像我和我女兒霓霓互動的場景，我可以在書裡找到與貞慧老師有共同的親子英語繪本教養經驗，但有更多的是透過貞慧老師的分享反省自己的親子教養。

第一次見到貞慧老師時，她散發出一種溫暖的感覺，因此在閱讀貞慧老師這本書時，腦袋都能浮現貞慧老師除了熱愛英語繪本之外，更能感受到她對於親子教養的堅定與溫柔。書中介紹的第 18 本繪本 The Line Up Book 描述到故事主角對於媽媽呼叫時拖拖拉拉後媽媽真心去理解孩子拖延的原因除了給予在創作的主角讚美之外，也給予了機會教育，讓我想起我的女兒霓霓也常常會有這樣的狀況，一開始我和爸爸在還沒有了解原因之下難免會生氣覺得孩子故意拖延，就會責罵她，但是霓霓也不完全都是在拖延，而是剛好在自己的世界中進行創作或是角色扮演，後來我們也利用此對霓機會教育，告訴她這時候可以如何回答爸媽的呼叫，教她說話的技巧

與方式。

閱讀貞慧老師如此貼近親子教養互動的新書，從中找到不少共鳴，也期望能將貞慧老師這樣溫暖與熱愛英語繪本的心，繼續傳遞給我的孩子和我的學生、更多的老師與家長，讓台灣的英語學習除了面對升學考試壓力之下，對英語學習有了更不一樣的面貌與激盪出的火花！

呂佳玲老師
苗栗縣專任教學輔導員、苗栗縣立公館國中

推薦文

　　拜讀貞慧的新書，一次綜覽許多美麗精巧的英文繪本，也接觸到蘊含在可愛畫面裡的各種主題，有的溫馨有趣，但也不乏尖銳敏感的議題。鑽進這一本，由更多本書幫自己打開一扇窗，窺見存在於世界上的多元處境、價值和理念，無形中開拓了觀看世界的方法。雖然書名看起來像教養書，但其實主旨不在於教養的提醒和技術，而是培養寬容的心胸和視野。這是身為一個人的涵養與提昇，同時也是做為父母，教養兒女時最重要的心靈整備。

呂文慧
《天下獨立評論》專欄作家

推薦文

　　一直以來，善用並全心推動繪本教學的貞慧，已在無數家長及孩子們心中建築了一座美麗的閱讀城堡。她溫柔友善、循序漸進，堅持永續的培育著未來的小尖兵。 貞慧像一位導讀者，巧妙的引領我們融入繪本，精準詳實的講述著故事裡發展的人事物。而當我們看完故事之際，她則以觀察者的角度分析原著精神，同時也分享自己對親子教養的延伸觀點。 在貞慧的每本著作中，我總能感受到同理心。這是人們溝通、合作的必要，也是凝聚力量的開始。在新作《當孩子的伯樂》中，貞慧挹注了許多正能量，暖心慷慨的將充滿愛與智慧的教養價值傳播給大家。非常棒的一本書，真心推薦給關注親子教育的朋友們。

黃麗莎，生活料理家
粉專：麗莎小時光

推薦文

　　「本本是愛，字字是陪伴。」一個好的故事，也需要讀懂它與愛它的人，來成就書的價值和文字的可貴。 養育孩子，絕不是輕鬆容易的一件事，但我們不需要成為完美的家長或老師，卻可以「練習」成為孩子們最好的伯樂。 小漁喜歡貞慧在每一本導讀的繪本中所挑選一句（段）她感動的文字。在閱（共）讀的過程中，我們也可以這麼做，這將有助於我們跟孩子或自己產生新的對話。《The Line Up Book》，第 18 本故事中，我深深地被孩子的堅持與創意，還有媽媽溫柔的等待與理解而感動。時間是多麼美好的催化劑，優雅而不失原則的彼此尊重，不也是我們想要傳達給孩子的生活態度嗎？ 感謝貞慧，用 25 本精選英文繪本，讓小漁重溫陪伴和女兒成長的回憶，也感謝父母親曾經給與我的一切，讓我能在成為母親之後，能夠用更好的方式來養育下一代。

侯怡慧
小漁媽媽／親子繪本食堂創辦人

推薦文

有一種教養，叫貞慧老師的繪本動心教養

從《面面媽媽碎碎念：用「愛」和「關懷」來建築我們的幸福家》，貞慧老師的第一本書開始，我就一直以來都是貞慧老師的忠實讀者，看著她帶著一雙兒女，常用一本本簡單卻深遠的繪本，跳過了說教和碎念，故事，帶來肯定的正向力量、脈絡中有了反思和沈澱的機會，我在貞慧老師的分享中，常常獲得繪本動心的能量及日常踏實的感動。

這本《當孩子的伯樂：從英文繪本中吸收教養正能量》，依然可見貞慧老師平實的筆觸，娓娓說出每個家庭都似曾相似上演的情節，但總能在繪本裡，百轉千回看見新的力量，還有渴望和欣賞孩子的目光。且因為選的都是英文繪本，讀者如果踏實找來和孩子閱讀，藉著貞慧老師書中的引導，更可以看見語文學習和繪本帶領思考的方向。藉由大量閱讀，親子英文能力都更可在過程中成長。

繪本的力量不用多說，藉著這些創作，在故事裡的隱喻、衝擊，怦然心動出和自己生命的激盪。暖心的、撫慰的、信念的，都可以在繪本花園裡找到自己需要的價值和力量。尤其藉由愛書人貞慧老

師選書的目光，加上她親近可行的觀點，更讓人找到切入的花徑。有些教養書常常是佈滿成功、勵志、步驟，說真的有時會越來越沮喪，孩子是人不是機器，很難一個個步驟實施，但貞慧老師不打算當完美的媽媽，而是一個「夠好」的媽媽，這樣的思考，讀來平靜得多，也會跟著思考自己的想法，找到自己教養的平衡點。

覺得這也是一本值得時時品嚐回味的書，讀完，除了已經打算要跟著購入某些還沒看過的書籍，也覺得可以跟著也寫一篇自己的想法，隨著時光經過，像貞慧老師那樣：回歸內心，「看見孩子們內心真正需求的，始終不是爸媽帶給他們的物質享受，而是真真切切、細水長流、永不停止供應的愛。」

林怡辰
閱讀推廣人、國小教師

推薦文

用繪本升級你的教養腦

　　談教養很有意思，身邊人常有經驗，但個個沒把握，用教育專業來談，我會想到個別化教育計畫和正向行為支持。每位孩子都獨特，因此教養之初，我會從好好看看孩子並能欣賞開始，書中「去除刻板印象」和「當孩子的酷家長」等話題，幫助我們成為助力的順水推舟，有方法的讓孩子心想事成，水到渠成的長成獨立溫暖良善的個體。 本書透過精彩的英文繪本選書和貞慧交心的言語，引出如「給孩子留白的時間」、「自由」和「鼓勵」等話題，幫助讀者覺察、省思自身與孩子相處溝通的模式，從中得著調整教養的明確方向。 教養常也是個過招與接招的歷程，如書中提到「當孩子犯錯」和「離家出走」等話題繪本，我們可以從正向行為支持，先去探討孩子的行為目的。行為問題是傳達語言溝通外的訊息，也許是逃避內在焦慮或外在壓力，也有可能是想要獲得內心滿足或來自環境與他人肯定，大人如能理解孩子的內心想法與感受，即能透過策略讓孩子習得正向行為替代負向表達。 反覆看了幾次這本書，享受好繪本讓我們放鬆，重思教養／教育的觀念和行為，成為一個舒服的大人。

劉淑雯
臺北市立大學師培中心教授、繪本閱讀推廣人

推薦文

　　謝謝貞慧細細導讀每本繪本，將心與眼沒有說出的故事，以溫暖的文字、兒童的視界，再次引領家長們走向繪本共讀的初衷，陪著孩子小小一顆心長大。

謝玉蓮
臨床心理師 & 繪星心理治療所所長

推薦文

　　誰是看見千里馬的伯樂？誰能幫世界下雨的人溫柔撐傘，青少年導師李貞慧《當孩子的伯樂：從英文繪本中吸收教養正能量》，從英文繪本的世界，開啟我們正能量的開關，讓你與快樂成為知己，讓你和孩子在閱讀中互相理解，彼此攜手邁向更好的人生，同時，活出自己喜歡的模樣！

　　閱讀是最簡單便宜的投資，李貞慧的書籍是你彩繪美麗人生的顏料，打開書籍盡情揮灑的繆思，你也可以是別人與自己的伯樂！

宋怡慧
作家、高中教師，有「閱讀傳教士」之美稱

編輯的話

父母的角色要扮演得好真不容易，覺得孩子需要管教、不要太放縱，又擔心太過嚴苛傷了孩子；覺得自由比較好、順著孩子的心長大，又擔心自由過了頭收不回來。說爸爸媽媽在教養的過程中不會理智斷線，那是不太可能的，爸爸媽媽也是一路在養兒育女中慢慢學習，逐步成長。

貞慧老師閱覽群書，沒想到在繪本中，發現許多繪本除了文字畫風優美外，更給了父母正能量。這樣大人系的繪本，正好療癒、撫慰了心力交瘁的父母！因此，貞慧老師希望把好書和讀者朋友分享！

在教養的路上，我們並不孤單，除了學者專家的文章和講座，還有不少繪本給了我們更多啟發和鼓舞。這些支持我們的力量，讓我們有勇氣帶領孩子尋找屬於他們的天空。

每個孩子都有獨特的氣質和個性、特別的喜好和興趣、擅長的事物和能力。即使別人不見得理解孩子、無論他們是不是千里馬，但就由我們父母當孩子的第一個伯樂吧！陪伴孩子心理快樂、身體健康成長是每個父母衷心的期望，這本書就是我們教養路上的精力湯！

也愛繪本的書籍編輯

從繪本閱讀中汲取教養的養分

　　這本書可謂我先前出版的《繪本給你教養力》的姊妹作,這兩本書都是透過繪本故事來和爸爸媽媽們聊育兒、聊教養、聊親子的互動與相處。看似調性非常相似、雷同,事實上這兩本書在繪本的選材上是有其區隔的。

　　前作《繪本給你教養力》一書裡介紹的皆為中文繪本,而這本新作雖然同樣以「教養」為主題,但裡頭的選書全為英文繪本(其中有幾本已有中文版問世),之所以以英文繪本為選材,主要是中文繪本大家較容易掌握相關出版訊息,也容易取得,但大家可能少有機會接觸大量的英文繪本,這讓我很想把平日閱讀到的諸多優質英文繪本藉由此書好好推介給大家,希望大家不會受語言的隔閡所限制,而錯過了好繪本帶給我們的提醒與啟發。再者,中文繪本也許是基於讀者市場之種種層面考量,出版的題材不若英文繪本的多元,所以這本新書想要進一步透過英文繪本豐富的取材,來和同為爸爸媽媽的朋友們一起思考更多面向的教養議題。

　　雖然這本書選取的皆為英文繪本,但不熟悉英文的爸爸媽媽千萬別焦慮、擔心,貞慧在書中推介的 25 本英文繪本,都有為大家

做簡單的故事介紹，讓大家得以輕鬆進入每一本繪本的故事內容中，您不一定非得找原文書來閱讀不可。當然，如果您願意在讀了貞慧的書之後，進一步找這些英文繪本來讀讀，自己感受繪本中文字與圖像交織而成的美好，內心的觸動與領略自然會更為深刻細膩，但即便不讀原文，光是閱讀貞慧的這本書，透過貞慧的介紹與延伸觀點分享，相信也可以觸發大家思考更多親子教養相關議題。

同一本繪本，因著你我擁有不同的生命歷程與思考角度，引發的內心觸動與發想自然也會不一樣。透過這本書，我真誠熱切的與親愛的大家分享我在繪本中閱讀到的教養風景，以及我個人在教養孩子上的「有所為、有所不為」。期待透過這本書的出版，與有緣的讀者相互交流，傳遞溫暖善美又充滿力道的正能量給大家，與大家共創美好。

這是貞慧的第九本書，期待你會喜歡並從中受益。感謝你願意給這本書機會——拿起它、閱讀它，並且珍藏它。

李貞慧

Let Them Be

Parenting Tips from
English Picture Books

A Fine, Fine School

作者：Sharon Creech
繪者：Harry Bliss
出版：Harper Collins Children Books, division of Harper Collins Publishers, New York

01

給孩子留白的時光
A FINE, FINE SCHOOL

故事簡介

在一座精緻的小鎮上，有一所優質的學校。每一天早上，校長 Keene 先生都會巡視著校園中每一間教室，察看學生們學習形狀、色彩、數字和字母等等課程的狀況。看著大家如是精進，認真地學習、讀書、畫圖，校長甚感欣慰，心想：這真是一所有著最棒的老師與最棒的學生的最棒的學校啊！

女學生 Tillie 住在學校附近，她有個弟弟，還有一隻狗，他們都不用去上學。Tillie 周一至周五搭校車到學校上課，到了周末她會和弟弟還有小狗一起開心地玩耍。

　　有一天，校長心血來潮，召集全校師生，他宣布：「我們的學校太棒了！所以，周末大家也來學校上課吧！」。大家驚訝不已，可是沒有人知道該怎麼和校長說出心裡的想法，只能服從指示。沒想到校長變本加厲，接連決定暑假、國定假日，甚至過年佳節都要來上課，以期學校能夠更加優秀。Tillie 從此沒有閒暇時間和弟弟還有小狗一起玩，連節日都無法一同度過，全校師生越來越鬱鬱寡歡，喪失了以往積極歡樂學習的動能。

　　Tillie 終於受不了了，勇敢地跑去告訴校長，自己失去了與弟

弟還有小狗相處的機會，以及坐在樹上獨處的快樂時光。校長想了想，做了一個決定！猜猜是什麼決定，讓學校依舊很優秀，而校長變得更受師生與小鎮居民的歡迎呢？

貞慧說說話

身為老師的我，也覺得在這樣連假日和寒暑假都被剝奪的學校教書，得犧牲與家人相處的珍貴時光，若是我，一定也會很不開心啊！

無論東方還是西方社會，許多大人，包含父母和師長，都存在著這種「望子成龍，望女成鳳」的觀念，導致不少人迷信「明星學校」，補習班、家教班與才藝課輔班也四處林立。這個故事裡頭的校長 Keene 先生，希望把學校經營得更優秀出色，其實即呈現出明星學校高層管理者的心態，認為所謂優秀的學校就是要不斷地好上加好，培育更多傑出卓越的人才。然而，為了將學校經營成一所明星學校，校長太過投入治學，做出不當的決策，剝奪了學校師生放假、休息的時間，要大家來學校上更多更多的課，連學生餐廳裡都掛著標語：「當你口中吃著食物的同時，何不也讀書？」這般逼

迫學生不要停歇腳步，持續學習再學習的辦學方式，恐怕孩子們還沒被栽培成菁英，就已先累垮，且也對「學習」這件事倒盡胃口了！

別說學生了，要是出社會的大人們也都沒有假日，不能暫停腳步休息並享受天倫之樂，我相信任何人都會愁容滿面、抑鬱寡歡的。這也就是為什麼會有「休息是為了走更長遠的路」這句話的流傳了。

繪本裡的小女孩 Tillie 在故事接近尾聲處對校長說的一段話，令我印象十分深刻：

"But I haven't learned how to climb very high in my tree. And I haven't learned how to sit in my tree for a whole hour."

（但我還沒學會如何爬樹爬得更高，我也還沒學會如何坐在樹上，獨處一整個小時。）

孩子不是機器人，爸爸媽媽不應該在孩子的生活裡排滿各種學習課程。應該適度地給予留白的時光，讓他們有片刻喘息的自主時間與空間，不管是獨處休息、自我探索，或是與手足、朋友玩耍遊戲，都能讓他們的心靈得到適時適度充電的機會，如此方能持有充

足的能量繼續在學習的道路上前進。若是家長不放心孩子獨處的安全性，也可以在孩子的附近，以不打擾的方式靜靜地陪伴他們。

　　所幸故事中的校長終於覺悟到，「學習」不僅僅是正襟危坐地在教室裡學著與課本相關的事物；爬樹也是一種學習，遊戲也是一種學習，就連看似無所事事的留白獨處時光，我們也都可能從中領略一些道理。所以何必限縮孩子學習的地點與方式呢？只要敞開胸懷、時時抱持對外在世界探索的熱情，「學習」這件事每時每刻無處不在進行。

　　這個故事的結局皆大歡喜，學生與老師重獲假期，每個人的臉上綻放燦爛無比的笑容，全校歡聲雷動，校長也因此變成小鎮上極受大家歡迎的人物。一所學校裡，有快樂學習的學生、有教學熱忱的老師，以及一位決策睿智的校長，這不正是再優質不過的學校了嗎？

延伸電影欣賞

となりのトトロ 龍貓

延伸閱讀

關於給孩子留白的時光，非常推薦台灣繪本創作家劉旭恭先生的作品《只有一個學生的學校》，是個很能夠為家長和老師帶來省思的好故事喲！

· 只有一個學生的學校（小典藏）
· 小熊媽的創意思考教養法：用動機啟發學習，用體驗引爆成長，用愛與留白點燃孩子的生命力（野人）
· 沒關係！沒關係！（親子天下）

給爸媽的小提醒

A. 您最近一次給孩子空白時光是什麼時候呢？

B. 想想要如何給孩子創造的留白時光？讓孩子自己選擇嗎？還是爸媽幫忙一起創造這段時光呢？

C. 留白能夠創造的空間更寬更大，什麼時間能留給孩子自己呢？

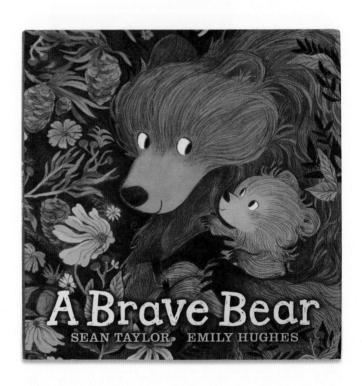

A Brave Bear
作者：Sean Taylor
繪者：Emily Hughes
出版：Candlewick Press

BOOK

02

鼓勵孩子常保嘗試的勇氣
A BRAVE BEAR

故事簡介

烈日照耀下，一對熊父子慵懶趴在熊穴裡。赤日、熱風，連蔭涼的地方都感到酷熱難耐。熊爸爸笑說：「一對熱呼呼的熊，恐怕是世界上最炎熱的東西。」小熊想到一個好主意，提議到河邊玩水消暑，熊爸爸同意了，熊父子便一同前往。

然而從熊穴到河邊，路途相當遙遠，他們必須撥開濃密的草叢，還要穿越厚厚的小樹叢，然後跳過一個又一個的大小岩石……小熊對熊爸爸說：「跳躍的熊，大概是世界上最會跳躍的東西了！」熊爸爸提醒小熊，要小心一點，小步的跳躍就好。然而小熊想要證

明給熊爸爸看，他是有能力做大跳躍的，於是他偷偷地做準備，準備好要縱身一跳……，結果……摔滑下來！熊爸爸扶起小熊，小熊感到好難過，他的膝蓋好痛。天氣真的好熱！小熊突然不想去河邊了！這時熊爸爸說：「先坐下來休息一下吧。」熊父子同時看著岩石下方的河水。過了一會兒，熊爸爸告訴小熊，如果小熊還是想去河邊，熊爸爸可以揹他去。

小熊喜歡爸爸揹著他，但他還是決定自己走，熊爸爸讚賞地對

小熊說：「一隻勇敢的熊，大概是世界上最勇敢的東西了。」他們終於走到河邊，熊爸爸和小熊快樂地潑水玩耍，感到無比清涼消暑。小熊對熊爸爸說：「兩隻溼答答的熊，大概是世界上最濕的東西！」回家的路上，夕陽散發美好的光芒，連空氣都閃閃發光，甚至感到連明天也充滿光亮。

貞慧說說話

在炎熱的天氣下，閱讀這個故事，相信大家也會跟我一樣，感到一陣沁涼。

這本繪本是作者早期旅居巴西時創作的故事。由於巴西是個炎熱的國家，他經常帶著孩子到住家附近有瀑布的河邊游泳、跳水來消暑，涼快地度過每個酷熱的日子。整本繪本的畫面是先以鉛筆打底，再透過電腦數位技術上色，畫面看起來，真的讓人有那種荒野的炎熱感。

這隻活動力強且冒險心高的小熊，什麼都很想嘗試，和熊爸爸到河邊的路上，都是他走在熊爸爸的前面，也不顧草叢的草會不會割手，更開心地在岩石間跳來跳去，都沒想到可能會跌倒摔傷，而熊爸爸就這麼讓小熊快樂地走過路途上的每一個新風景。

我記得我的孩子小時候，不管是在學習走路，還是上上下下攀爬，我都讓他們盡量嘗試。雖然不讓他們離開我的視線，但如果他們跌倒，我也不會太過擔心他們哪裡疼痛，或哪裡受傷。當然還是會注意有無危險狀況，但不會讓小孩感到媽媽過於擔憂，而覺得走路很危險淪為過度小心翼翼。我只是在他們跌倒時，鼓勵他們，為他們打氣；只要每每小有進步，我就大大地給予掌聲，讓他們更有自信，不要畏懼，希望能夠培養他們多一點的勇敢。

　　故事裡小熊在攀爬大岩石時，想向爸爸證明他可以跳過岩石，結果摔下來受了點傷，熊爸爸趕快來幫助小熊。小熊和熊爸爸坐下來休息，小熊感到很沮喪，熊爸爸對小熊說，如果不能走，爸爸可以揹他去河邊。但是小熊不願示弱，執意要自己走去河邊，最後他們終於抵達河邊，並快樂地玩水消暑。就像這本繪本的插畫家 Emily Hughes 所說，每個人都想受到自己最景仰敬愛的人的肯定與賞識，故事裡這隻活潑跳上跳下的小熊也不例外。

　　孩子在逐漸長大的過程中，多少都想向父母展現自己可以做什麼事；例如，可以騎車、端熱騰騰的菜餚、使用電器用品。我建議父母不要立刻以否定的態度，對孩子說：「太危險了！會受傷的。」或是「你年紀太小，做不到的，爸爸（媽媽）幫你就好！」這樣你

永遠不會知道孩子是不是真的可以勝任。我的做法是，陪在孩子身邊，看著孩子做這些事。如果他們成功了，不吝給予鼓勵，讓他們更有信心和意願再次嘗試做這些事；如果他們沒成功，只要未受到嚴重傷害，我會試著再鼓勵孩子，希望孩子不要退縮、再嘗試看看，否則孩子對某事物一旦產生陰影，反而可能永遠學不會。

整本繪本最令我有感的一句話是：

"On the way home, the sun was glowing. The air was glowing...Even tomorrow was glowing."

（回家的路上，夕陽散發光芒，連空氣都閃閃發光，甚至連明天也充滿光亮。）

父母溫暖的鼓勵、陪伴，是孩子內心正向力量的來源，能讓孩子感到安心並心生勇氣，讓孩子不怕面對未知的未來，覺得自己的明天亮閃閃，滿是光彩與希望。

延伸電影欣賞

Finding Nemo 海底總動員

延伸閱讀

關於「勇氣」的繪本，還想推薦這本出版多年的經典繪本《勇氣》給大家，這本繪本以多元面向和孩子聊何謂「勇氣」，比如說，不開夜燈睡覺是勇氣，爭吵後先與對方道歉、和好，也是一種勇氣的展現。孩子可以從這本繪本中看見自己可能已經在不少事情上展現可貴的勇氣，心生信心的同時，將長出更多的勇氣來面對更多的未知與不確定性。

· 勇氣 Courage （小魯）
· 愛擔心的大兔子和勇敢的小兔子（采實）

給爸媽的小提醒

A. 您最近是否忘了給孩子嘗試的勇氣？

B. 孩子最近做什麼事情時，需要您的鼓勵呢？
演講比賽、跑步比賽、羽球比賽？

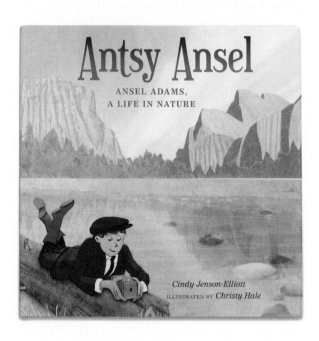

Antsy Ansel: Ansel Adams, A Life in Nature

作者：Cindy Lsenson-Elliott
繪者：Christy Hale
出版：Christy Ottaviano Books, Henry Holt and Company, New York

03

看見孩子與衆不同的天賦，並順勢引導發展

ANTSY ANSEL: ANSEL ADAMS, A LIFE IN NATURE

故事簡介

　　安索是個坐不住的小孩，他從來不好好走路，總是跑來跑去。家庭聚會時，他無法安靜坐在椅子上，兩隻腳不停地動著，像是在跳舞，大人們都看不下去，但了解安索的爸爸會對他說：「你何不到外頭去玩？」他就會立刻衝到戶外。

　　生長在美國舊金山灣區的安索，最喜歡在住家附近的海灣沙灘上踏著海浪戲水，他領略到大自然是如此地遼闊廣大。在安索的童年時期，舊金山曾發生大地震，他的鼻子也因此受傷，但大自然的毀滅威力並沒讓他少愛大自然一點點。他溯著溪流，聆聽溪水的聲

音，從中感受自然的千變萬化。

然而，每當在室內，安索就有被困住的感覺，他無法安坐在教室，覺得很痛苦，總是坐立難安。老師每每要糾正他，便把安索的爸爸找去學校，校長對父親說，安索需要更多的紀律操練，但父親認為該給安索廣大的空間，因此決定讓他在家自學。

在家自學的安索，學了鋼琴、法文、古希臘文和代數，也探索

大自然、抓昆蟲做標本，還收集海上的漂流木。有一次父母帶他去參觀世界博覽會，安索被眼前所見的新奇神祕事物與藝術作品所震懾，讓他更熱衷於學習。

青少年時期，有一次全家前往美國優勝美地國家公園旅遊，在森林中他見識到了光線的神奇，於是安索一眼就愛上了光線！這時父母送他一台相機，開啟了他的自然攝影生涯。不分四季，不計日夜，他的足跡踏遍美國西部加州的森林與山脈，為美國與世界保留下許多大自然美景的黑白畫面，安索也因此成為全球知名的自然攝影大師。

貞慧說說話

安索・亞當斯（Ansel Adams）是世界級自然攝影大師，他終其一生不斷走向山林、走進大自然，透過他的眼、他的相機，記錄美國西部與加州的國家公園早期原始面貌，留下自然歷史無比珍貴的參考資料。

看完這個故事後，我不禁想：真感謝安索的父親看見自己的小孩所擁有的天賦，如果安索的父母當初遵循了醫生與學校的建議，

針對安索靜不下來的行為，進行醫療與學校的集體規範訓練，那我們是不是會因此失去一位偉大的自然攝影大師呢？

許多父母在看到孩子有些地方似乎與其他小孩不一樣時，容易驚慌失措，常見的作法是帶孩子去看醫生，請醫生評估自己的孩子是否「不正常」？然而，爸爸媽媽是否曾想過，到底「正常」是由誰定義呢？父母必須培養正面看待事物的態度，具備觀察自己孩子異於他人的長處與天賦的能力，而非人云亦云地將各種疾病的名稱強加在孩子身上來進行治療。

安索的爸爸將孩子帶回家，透過自學的方式，讓孩子能真正快樂且多元的學習。例如，安索既會彈奏鋼琴，又會法文，許多在正規學校就讀的孩子，可能都無法擁有這些多面向的學習呢！安索的爸爸深知孩子喜愛大自然，更安排帶他前往美景絕倫的優勝美地（Yosemite）國家公園，安索被那裡的自然景色所震懾，拿到相機後，從此不停的按下快門，一張張呈現出美國自然原野之美的攝影作品，於焉誕生，不僅讓安索聲名大噪，每張攝影作品都價值不斐。安索因為他的「與眾不同」而成功了。

繪本中讓我最有感觸的一句話是，當安索無法安坐在教室，內

心感到痛苦時，安索的爸爸被找去學校，校長對父親說，安索需要更多的紀律操練，然而父親持相反意見，他說：

"Give him open air." （給他開放的空間。）

　　父親深知自己的孩子嚮往微風、海浪等大自然環境，因此決定將安索帶離學校，讓他在家自學。

　　這個故事傳達給我們父母一個重要的訊息，孩子若身處在一個沒有歸屬感的地方，他們將身心受困而大感痛苦不堪，顯露於外的行為就容易被解讀成不正常；一旦他們來到自在、舒適、安心的環境，他們會更容易發現自身熱衷的事物，並終其一生專注地在相關領域追求、發展，如此的人生何等富足美好！

延伸電影欣賞

Frozen 冰雪奇緣

延伸閱讀

- · *Thelma the Unicorn* (Scholastic Press)
- · 好想變成獨角獸：做自己，就算沒有閃閃發亮也沒關係！（時報）
- · 讓天賦自由的內在動力：給老師、父母、孩子的實踐方案（遠流）
- · 不會游泳的魚：慢學成功教育家教你如何讓孩子的天賦自由（商周）

給爸媽的小提醒

A. 您是否發現自己的孩子擁有什麼天賦？

B. 您會順應孩子的天賦發展嗎？

C. 需要哪些引導能幫助孩子充分發揮他們的天賦？

Children are Naughty

作者：Vincent Cuvellier 和 Aurelie Guillerey
繪者：Vincent Cuvellier 和 Aurelie Guillerey
出版：Flying Eye Books, London

BOOK

04

父母須體認就像大人的個性有多重面貌，小孩子也有既頑皮又可愛的一面

CHILDREN ARE NAUGHTY

故事簡介

小孩子很頑皮，證據何在？他們經常喜歡尖叫，當你看到他們雙頰紅通、表情憤怒時，就是他們開始要尖叫的前兆，那尖叫聲會讓大人恨不得爬到樹梢躲起來，看大人滿面愁容，便知孩子的尖叫有多恐怖！

還有什麼小孩頑皮的證據呢？繪本例舉了其他項目，例如從不分享、沒有禮貌、欺負比自己更弱小的孩子、扯別人的頭髮、掀女孩子的裙子還覺得好玩……，這已不只是頑皮，更是愚蠢的行徑了。

有時候最頑皮的孩子，外表就像天使一般，大大的眼睛，圓嘟嘟的雙頰，看起來天真無邪，深受大人的寵愛。而他們也深知自己的優勢，因此就變得驕縱任性，耍起脾氣來還會丟盤子，父母花心思煮的飯菜，挑食的孩子不愛吃，竟把食物丟在地上；而愛塗鴉的小孩，不聽父母的規範，在家裡牆面和家具上，四處恣意揮灑色彩。

　　遇到這些有著頑皮行為的小孩，所有的父母一定都會大感頭疼吧！然而，回想自己小時候，不也同樣有頑皮的一面嗎？經過一整天的調皮搗蛋，夜深人靜時，爸爸媽媽輕啟孩子的房門，見到孩子香甜地沉睡，還是會覺得孩子是他們生命中無可取代的小天使啊！

貞慧說說話

看完這本繪本，我真的十分同意作者在最後提到的，爸爸媽媽在夜深時偷偷開門看到孩子熟睡的無邪臉龐，就覺得他們是可愛的小天使，對於白天他們所惹的麻煩、頑皮的行為，一天的辛勞，都不會去計較了，只是偶爾難免感嘆，同樣的戲碼明天恐怕還會繼續上演呢！

此繪本作者將父母眼中的孩子像小惡魔般的所有頑皮行為，描寫得十分生動、活靈活現，頗能引發爸爸媽媽強烈共鳴。例如繪本裡提到小孩尖叫的情節，讓我想起我兒小時候超會尖叫，尖叫到讓我好崩潰，好想找個地方躲起來，因此讀到這個部分時，實在是心有戚戚焉啊！

另外作者也提到孩子不愛分享自己的東西給其他小朋友，這種狀況可能不少家長都面臨過，並忍不住經常責怪小孩沒有禮貌、不懂分享。但其實孩子成長過程中，的確是有某個階段，需要確認身邊的東西是屬於自己的，藉此建立自我意識與安全感，之後孩子逐漸加入社交活動，透過學習，就會慢慢出現分享的行為。若父母強迫孩子分享，會讓孩子在建構自我的歷程產生不完備的狀況，因

此，父母無須太早過於擔心孩子不願意分享的這種內在心理和外顯行為。但如果孩子已經來到青少年階段，依舊有這種不喜與人分享的情形，甚至對於事物的所有權有偏差的獨占觀念時，大人可能就需要尋求合宜的方式來引導、改變孩子。

在我成長的那個年代，我們是屬於被過度壓抑的世代，所以深知壓抑的教養對人格發展的負面影響。成為父母之後，自然不希望孩子步上我們這個世代的後塵，希望他們依隨自己的個性與興趣發展人格。但讓孩子自由發展自己的人格，並不意味放牛吃草、不施以教育，養出一堆個性彆扭、古怪、有社交恐慌甚至反社會人格的小孩，這樣的放任教養反而毀了孩子，可謂過猶不及啊！

人類是社會動物，過著群居的生活，儘管我們希望孩子能夠適性而活，但有些必要的社交應對技巧，父母依舊有責任要教育孩子。例如，繪本裡提到的孩子見到人不打招呼，除非爸爸媽媽希望孩子未來過著離群索居或是宅男宅女的生活，否則這是學習彼此尊重的基本社交技巧。孩子越大，父母越需要適切引導孩子社會化，讓孩子往後在社會上能夠適應良好，與他人相處互動時，不會格格不入，或是發生太大的差錯和衝突。

延伸電影欣賞

The Incredibles 超人特攻隊

給爸媽的小提醒

A. 孩子頑皮的時候，您通常會制止孩子？還是讓孩子繼續？

B. 孩子的頑皮是天性，有時候順應孩子釋放一些頑皮的個性，也會發現孩子的創意，您試過嗎？

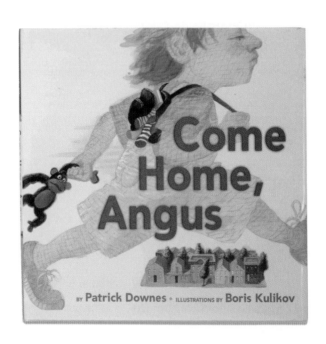

Come home, Angus

作者：Patrick Downes
繪者：Boris Kulikov
出版：Orchard Books, USA

05

如果孩子負氣離家出走
COME HOME, ANGUS

故事簡介

小男孩 Angus 某天早上醒來發了一頓起床氣，連他自己也不知道原因，就是看什麼都不順眼！他惡整家裡的小狗小貓，還有一隻金絲雀，又嫌媽媽做的早餐不好吃，反正他就是很生氣。

媽媽試圖安撫 Angus 的情緒，和顏悅色地對他說，對家裡寵物不友善的行為並不恰當，希望他能跟小狗、小貓和金絲雀道歉。這下子 Angus 更加盛怒，對媽媽說他要離家出走！Angus 揹著小背包，小背包裡裝上幾個自己喜愛的玩具，便氣沖沖地走出家門。

Angus 走過好幾條街道，城市的景色越來越陌生，人來人往、

行色匆匆。他找了一張長椅坐下來，開始感到害怕與無助，肚子也
餓了起來，卻發現自己忘了帶食物出門。有幾位陌生人在他身邊坐
下，這時，Angus 的起床氣消失了，他越來越害怕，好想念自己的
家、爸爸媽媽，還有那些寵物們。Angus 難過極了！突然，他聽到
一個溫柔且熟悉的聲音，會是誰呢？結局很溫暖喔！

貞慧說說話

「孩子離家出走」真是個很嚴肅的議題，看到故事裡孩子生氣時，身體越脹越大，整個家幾乎無法容下他了，等到他走過好幾條街道，氣慢慢消了，他的身體才逐漸恢復成小孩子的模樣，繪者Boris Kulikov 以這樣的方式來呈現孩子的情緒起伏，是頗富戲劇張力的表現手法。

我們大人也會有一早醒來，感覺什麼事都不對勁的時候，小孩難免也會遇到這樣的情況，自己也不知如何調節突如其來的壞情緒。大人經過生命中的一些成長過程，漸漸學會調整、掌握心情的起伏，盡量不讓起床氣輕易爆發，影響一整天的作息；但孩子年紀尚小，許多事情尚待學習，許多生命經驗亦尚待累積。故大人應將孩子時常演出無法控制情緒的戲碼，視為必然現象，但當孩子鬧到負氣脫口說出：「我要離家出走！」此等程度時，父母臨場處理的方式和態度，會是一大關鍵。我認為最糟糕的，就是用激將法，對孩子說：「你有本事，你就走啊！」而這則故事裡的媽媽卻是對孩子說：「我會很想念你！」這時給予孩子親情的呼喚是較為和緩且明智的做法，後來 Angus 往外走，離家越遠，越開始後悔自己的魯莽。

我很欣賞繪本裡媽媽的處理態度，她並沒有隨著 Angus 的情緒起舞。許多爸爸媽媽會被孩子的情緒起伏牽著走，孩子胡鬧耍脾氣，父母也跟著大怒吼叫，這樣只會使親子關係更惡劣糟糕。

對於 Angus 的起床氣牽累到家裡的寵物與家人，媽媽雖然沒有疾言厲色地責罵他，但是依舊提醒 Angus 要記得家庭禮儀──就是再怎麼生氣，都不能對他人粗魯無禮：

"In this house, being angry doesn't let you be rude."

（在這個家裡，生氣不代表你有權粗魯無禮！）

每個家庭給予孩子的家庭教育內容皆不盡相同，爸爸媽媽如果能將自我情緒控制，還有對他人基本的尊重與禮貌，納入家庭教育中，也許能逐漸潛移默化孩子對情緒起伏的掌控。

其實不管是幾歲的孩子，一時負氣離家出走，爸爸媽媽都不該等閒視之。年紀還小的孩子可能走不遠，家長還可以偷偷地跟在後面保護他們；然而，如果孩子已來到青春期，不慎結交到品行不良的朋友，就可能發生令大人頭疼萬分且處理起來非常棘手的離家出走事件。父母必須適度了解並掌握孩子的交友狀況，否則當孩子不見蹤影時，真的會缺乏線索去找到孩子啊！當然，同步報警，請警

察協助搜尋孩子的下落，也是必要的措施。

　　我建議父母可以與孩子約法三章，就是無論發生什麼事，絕不能輕易說出「離家出走」這些情緒性的字眼，就像夫妻吵架也不能隨便把「離婚」掛嘴上。父母要學習抱持耐心與好奇心去傾聽孩子敘述其之所以生氣的原由，再與孩子討論可以怎麼做，來撫平孩子的負面情緒，以防止孩子離家出走的憾事發生。

延伸閱讀

關於議題也可以參考 *When Sophie Gets Angry*《菲菲生氣了》。

・*When Sophie Gets Angry* (Scholastic Press) 菲菲生氣了（三之三文化）

給爸媽的小提醒

A. 如果您的孩子負氣離家出走，該怎麼做？

B. 怎麼做才能讓孩子不至於負氣離開？

Flying Lemurs
作者：Zehra Hicks
繪者：Zehra Hicks
出版：Two Hoots Books, London

BOOK

06

以鼓勵代替責罵來幫助孩子克服恐懼
FLYING LEMURS

故事簡介

狐猴這一家子都很擅長跳躍這項技能喔！例如狐猴媽媽在「空中跳躍抓鞦韆」這部分就表現得很傑出，爸爸則對「彈簧墊跳躍」這個項目很拿手，奶奶則是表演「大砲沖天彈跳」超級厲害！接下來輪到小狐猴了，他要做的是「高空跳水式彈跳」。可是，當他助跑到第三步……突然，他緊急踩煞車，懸吊在半空中，大喊：「我做不到！」

儘管全家人都在底下為他加油打氣，幫他心理建設，說他一定做得到，小狐猴還是害怕得不敢跳。奶奶要陪他一起做蹺蹺板跳

躍，結果小狐猴卻在最後一刻臨陣退縮，因為他還是害怕自己做不到。媽媽陪他練呼拉圈跳躍，也因為小狐猴的害怕而失敗。最後爸爸、媽媽和奶奶齊力鼓勵他，不斷地讓小狐猴回想自己擅長的事，例如堆疊派餅、拍鈴鼓、做火箭、溜滑板、倒立吹笛子等，想著想著，小狐猴覺得，嘿，自己其實也滿厲害的嘛！他終於有信心願意嘗試做疊羅漢跳躍了。三、二、一！小狐猴一躍⋯⋯，結果如何呢？小狐猴的跳躍成功了嗎？

貞慧說說話

先介紹這本繪本呈現的方式，畫風雖然看似簡單，但作者卻是以油墨、鉛筆、粉蠟筆、水彩顏料以及拼貼等複合媒材，來構成此繪本的每一個畫面，看得出作者的用心與匠心獨運。

這個故事想協助孩子克服對不擅長事物的恐懼。身為父母的我們，一定都經歷過協助引導孩子學會許多他們生平第一次接觸的事物：例如，第一次走路、第一次開口說話、第一次使用剪刀與水果刀、第一次上下樓梯、第一次騎腳踏車、第一次自己出門坐公車……，想想，我們和寶貝孩子共同經驗了好多好多孩子人生中珍貴的第一次啊！

每個孩子都有對事物的好奇心，但是每個孩子的個性都不一樣，不見得人人都有冒險精神或樣樣都想嘗試的個性。「恐懼」是許多孩子在首次面對不熟悉事物時會產生的心理狀態，有時候父母會過於急躁、求好心切，一直催促孩子接觸並嘗試新事物，然而，恐懼並不是別人對你說一句「別怕！」就會消失的。在孩子對某些事物的恐懼感尚未消失之前，就會像故事裡的小狐猴那樣，不是產生逃避反應，就是出現臨陣退縮的行為。

許多父母經常會心急地對孩子說：「你看那個誰誰誰都會了，你還不會！」對孩子說這樣的話，是非常不適當的，不但完全沒鼓勵到孩子，反而顯露出父母老愛拿自己孩子和別人家孩子比較的心態。爸爸媽媽該抱持同理心，以鼓勵的言語和支持的行動，幫助孩子克服懼怕，引導孩子慢慢建立信心去面對、嘗試新事物。

另外，爸爸媽媽應該要去發掘孩子其他面向的潛在才能，並肯定他們的這些才能，而不是一直聚焦在孩子學不會或進步有限的事情上，這樣才能幫助孩子看見自己的優勢與亮點，從中建立自我價值感與成就感，而不致老覺得自己無力達成大人期許的目標或設定的標準，久而久之心生「自己很笨、很沒用」的自卑心理。

我喜歡繪本裡的一句話：

"You don't have to jump. There are a lot of things you are good at."

（你不需要會跳躍，還有其他很多方面是你擅長的。）

這句話提醒我們，父母應該培養「欣賞孩子的眼光」及「寬容等待孩子成長的耐心」。小狐猴的父母以鼓勵取代責罵，充分給予

小狐猴時間來醞釀勇氣以面對跳躍，並讓他知道，即使學不會跳躍也沒關係，他們不會因此否定小狐猴，相反的，他們深深肯定小狐猴在其他方面展露的才能，讓小狐猴慢慢地打從心底長出力量，覺得自己既然擁有其他技能，跳躍應該也難不倒他。不知不覺地，他將內心的恐懼排除了，開始帶著自信嘗試跳躍，果真如願順利完成！

若把「父母期待孩子學會某項事物」這個主題放大來看，不禁讓我聯想到，社會上有許多所謂的「醫生世家」、「政治世家」等，這些父母存有一種心態，就是孩子也要學醫或從政，來繼承父母的衣缽，延續家族的事業傳統，但卻忽略孩子的興趣或他們擅長的技能是什麼。我家爸爸本也曾希望自己的孩子能如他一般走學術研究路線，但在看了印度電影《三個傻瓜》之後，感悟很深，漸漸調整了這樣的心態。其實《三個傻瓜》裡那名不擅長拿手術刀的孩子，是非常擅長拿畫筆的，如果爸爸媽媽不執著於孩子一定要學會某項家族中引以為傲的看家本領，也許能培育出在其他領域發光發熱的奇才也說不一定啊！

延伸電影欣賞

小孩不笨

延伸閱讀

當媽媽難免有理智斷線的時候，這時候讀媽媽「暴走」的相關繪本真是心有戚戚焉，也能夠會心地莞爾一笑，看完也就能釋懷了！推薦《大吼大叫的企鵝媽媽》給大家。

· 大吼大叫的企鵝媽媽（親子天下）

給爸媽的小提醒

A. 孩子害怕時，您是責罵孩子？還是鼓勵孩子？

B. 恐懼是正常的嗎？該怎麼克服？

Hans and Matilda

作者：Yokococo
繪者：Yokococo
出版：Templar Publishing, UK

BOOK

07

乖巧與頑皮是孩子的一體兩面性格
HANS AND MATILDA

故事簡介

有兩隻小貓，一隻是女孩貓叫做 Matilda，另一隻是男孩貓叫做 Hans。這兩隻小貓的性格截然相反，Matilda 乖巧懂事，惹人憐愛，每個人都讚美 Matilda 甜美又善解人意；而 Hans 卻老愛調皮搗蛋，四處惹事搞破壞，製造許多麻煩，讓大家總是對他大喊：「Hans，你給我安靜一點！」、「Hans，住手！」、「Hans，你好大的膽子！」之類的責備話語。

在一個月黑風高的夜裡，Hans 做了比平日更加過分的事情，他越過動物園大門，偷走管理員的鑰匙，把所有動物都放出來，製

造了動物園的大混亂。結果，警察到處張貼通緝令，要逮捕 Hans 歸案。Matilda 決定向警察通風報信，透露 Hans 即將在半夜現身於某處，警察十分感謝 Matilda 提供的消息。

　　果然在那天半夜，警察抓到了正在剪樹的 Hans。當警察拿下 Hans 的帽子、面具和小鬍子之後，赫然發現，Hans 竟然就是 Matilda，而且 Matilda 還向警察索取懸賞獎勵呢！

貞慧說說話

　　首先我們來看看這本繪本的畫風，作者以對照的方式來呈現兩隻個性、作風截然不同的小貓。有可愛乖巧的 Matilda 在的畫面總是明亮、色彩繽紛；而 Hans 每次出現，都是選在半夜搗蛋，所以畫面都是暗黑色調，作者藉由顏色來展現人們對「乖巧」與「頑皮」的刻板印象。

　　不少父母和長輩喜歡用「乖」或「不乖」來稱讚或責備孩子，其實我並不喜歡這種用詞，因為「乖」或「不乖」都是以上對下的姿態來評斷孩子的言行。大人稱讚孩子乖，會不會其實只是為了方便管理、控制小孩服從大人呢？又有多少孩子為了想獲得大人稱讚一句「好乖！」，而處處討好大人、不敢表達自我的聲音呢？

　　這個故事的結局讓讀者大感意外，原來看似乖巧懂事的 Matilda 之另一面目，竟是調皮搗蛋的 Hans ！不過話說回來，這才是小孩該有的真實樣貌，不是嗎？每個小孩都同時兼具乖巧與頑皮的性格，只是父母期待孩子只呈現乖巧特質，而不斷壓抑孩子頑皮的一面。當平時乖巧的孩子，有一天突然出現頑皮的行為，不少爸媽習慣以責罵孩子「不乖」來強行糾正孩子。

請允許孩子偶而「不乖」。其實很多時候孩子的「不乖」，反映出孩子的創意和表達自我的主張，不見得是真的本質很壞，這端看大人是否心思夠彈性、夠柔軟，能夠去包容與欣賞孩子的不乖。例如有些孩子很小的時候，很喜歡接觸樂器，成天胡亂吹著笛子或彈著鋼琴，弄得整個屋子很吵鬧，但爸爸媽媽並沒因此發現小孩的音樂天分，反而便宜行事，為了想遏止他們不要製造出很大的聲響，便隨口斥責：「這樣不乖喔！」反倒扼殺了發現孩子音樂天賦的機會，不是很可惜嗎？

　　我的孩子在逐漸成長為青少年之後，越來越具備獨立思考的能力，有時他們的作為與想法，與我的觀念相牴觸而遭我駁回時，他們總會問「為什麼？」，他們希望大人能夠清楚地表達「不能這樣做、不能那樣做」的理由。因此現在我經常接收到來自孩子的挑戰，但是我一點也不以為意，孩子的反叛與質疑協助我這個做母親的，認真思考、反省自己反對的理由與用意，親子雙方都能獲得成長。

　　繪本裡最後 Matilda 說的話，真的會讓許多父母大夢初醒：
"And she promised to be very, very good from then on. (unless, of course, she was wearing a hat and a mask, and some whiskers.)"

她答應自此之後會非常非常乖巧（當然，除非她又戴上帽子、面具與小鬍子。）也就是當她化身為 Hans 時，那她就沒法保證啦！

Maltilda 自己也知道，她不會永遠這麼乖巧，因此上面這句話後面加上了但書，一旦她調皮性格上身，又會變成頑皮搗蛋的 Hans 啦！

因此父母要隨時提醒自己，孩子跟自己一樣擁有多面向的個性，能乖巧懂事，但也會有調皮搗蛋的時候。如果一個孩子總是乖巧安靜，其實並非好事，可能顯示這孩子有很大的情緒壓抑，沒適當地抒發出來。孩子的價值如果都來自有沒有得到大人給予「好乖」、「好棒」的評價，很容易患得患失，呈現自我懷疑，甚至自我否定的念頭與行為，這對孩子身心靈健全完整的發展會產生相當負面的影響。

延伸電影欣賞

Home Alone 小鬼當家

延伸閱讀

《頑皮公主不上學》（格林文化）、Horrid Henry《恐怖亨利》系列。

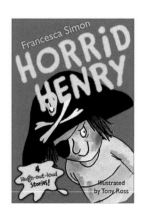

· 頑皮公主不上學（格林文化）
· 恐怖亨利系列（小魯）

給爸媽的小提醒

A. 您的孩子平常是乖巧還是頑皮的呢？

B. 您是否曾允許孩子頑皮的表現？

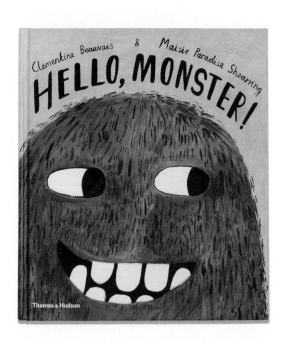

Hello, Monster!

作者：Clementine Beaunais &
繪者：Maisie Paradise Shearring
出版：Thames & Hudson

BOOK

08

父母應該給予孩子社交上的自由權
HELLO, MONSTER!

故事簡介

　　小男孩正在公園玩，坐在長椅上的媽媽突然叫他過去，小男孩知道媽媽要說什麼。小男孩非常討厭跟在沙坑玩的其他男孩打招呼。他想，如果他也對媽媽說類似的話：「去跟那位老太太打聲招呼嘛！她一個人，一定很無聊，只能跟鴿子說話，我猜她一定很和善！」媽媽聽了也不會喜歡的。

　　男孩無法想像，他媽媽跟不認識的人打招呼，事實上，她總是告誡男孩，別跟陌生人說話。然而她之前從未見過那孩子，她竟然要自己的兒子去跟他玩，她認為那個小孩是完全無害的。但是故事

　的小主人翁可不這麼確定，他想，若是那男孩事實上根本不是小男
孩，而是一隻大怪獸假扮的呢？

　　他想像著，若是自己跟大怪獸打招呼，他卻把男孩拉進沙坑下
的神祕洞穴裡，若是大怪獸的洞穴裡已經有滿滿的其他小孩，而他
們的父母也都對他們說過同樣的話：「快！去跟他玩！」他想，如
果自己失蹤到地底下，永遠和怪獸住在一起，媽媽一定會非常難
過。

　　想像力豐富的小男孩繼續幻想著，怪獸會要求他和其他的小孩

負責照顧怪獸的寵物。

小男孩必須想出逃離計畫！他幻想他發明了一種怪獸看不懂的暗號，寫在牆上讓其他小孩可以讀。暗號是：今晚我們要逃出這裡！午夜大家在螞蟻窩走廊碰面。

午夜一到，所有小孩集合了，拿起鏟子開始挖掘，最強壯的兩個小孩挖的洞大得跟熊一樣，而其他孩子跟在後面走。當孩子們就快抵達地面時，怪獸突然醒來大吼，大家趕緊跑出洞穴，存活了下來。

男孩又想，若是挖錯方向呢？若出口不是在鞦韆旁邊呢？也許會挖到動物園的籠子裡，而黑豹正好肚子餓，這樣情況會變得有些危險。但幸運的是，黑豹不喜歡吃人，而是愛吃怪獸。

這時到了清晨時分，大家走過大街，買了新鮮麵包，爬到屋頂上，一面吃，一面和貓玩。回到家，父母看到孩子們很高興，孩子們一面打哈欠，一面說他們太累，無法上學。父母感到很難過，因為都是他們的錯，才讓孩子被怪獸綁架，所以愧疚的父母就讓男孩留在家，整天吃蛋糕。

自己的感受自己最懂，你自己快樂地在公園玩時，卻被叫去和別的小孩一起玩，請大人想想自己的感受：「若是我不想和人打招呼呢？若是那小孩是怪獸呢？」歡迎來到一個充滿驚奇有趣的「若

是……」的故事，打招呼也有可能發生許多驚險的事情呢！

貞慧說說話

不得不佩服故事裡的小男孩，小小的腦袋，竟然聯想力如此豐富，從交朋友可以聯想到怪獸，還可以聯想到解救動物園裡的動物，更天真地聯想到父母體諒孩子們千辛萬苦逃離怪獸的勞累，讓他們可以不用去上學，留在家吃蛋糕吃一整天。這根本就是未來的科幻小說家人才！

大人從孩子出生後，就開始不停地擔心，擔心他們身體不好，擔心他們營養不佳，長得不夠高，體重不夠重……，就連孩子的交朋友能力與狀況，父母也都覺得責無旁貸，擔心孩子若在團體中交不到朋友，人緣不佳，很容易發生遭霸凌的情況。

父母發覺自己的孩子比較害羞，擔心他們，而主動出面幫他們交朋友的例子，隨處可見。就是大人先互相交朋友，然後期盼彼此的孩子也可以經常玩在一起。然而，這經常是父母一廂情願的想法，常常是父母間合得來，而孩子卻沒有交集，有時甚至還爭吵得兇。

我想，大人其實不用強迫小孩去與人打招呼，或者交談、做朋

友；當孩子不願意時，別因此罵他們沒有禮貌。孩子也是獨立的個體，他們可以自由選擇要不要和某一個小朋友打交道或交朋友。

此繪本提醒了父母，孩子在人際方面的學習與發展，我們不用過於介入，或是老想下指導棋。孩子當然需要我們的關心，但無須事事干預。當孩子想自己一個人玩時，就讓他享受一個人的獨處時光；當他有意願想認識哪一個小朋友時，他們自然就會去嘗試交新朋友，而不是因為父母叫他去，他才去的。畢竟，即便是學齡前的小小孩，也會想擁有交朋友的自由選擇權。

整篇故事讓我最有感受的一句話是：

"And we'd make new friends when WE wanted to, and not cause our parents told us to."

（當我們想要交朋友時，我們就會去交朋友，而不是因為父母告訴我們要這樣做。）

我認為，大人應當尊重孩子的自由意志。我們可以傳達一些建議和期盼給孩子，但最終的決定權是在孩子手中，尊重孩子是完整的獨立個體，是為人父母者必須清楚認知的，才不致在孩子日益成長的過程中，引爆越來越多的親子衝突。

另外，這本繪本傳達的另一個訊息，也讓我很感慨──當孩子

們偷看黑豹和怪獸打鬥，在黑豹把怪獸吃掉後，黑豹告訴孩子們有關叢林中的事。男孩聽了很難過，覺得把動物關在籠子裡是錯誤的，於是幫他們逃出牢籠，讓他們得以搭火車返回故鄉。為了滿足人類一次覽盡世界各地動物的自私欲念，進而成立了動物園，強行捕捉各處的動物，讓他們遠離家鄉，被關進牢籠失去自由，供人類觀賞。人類是不是該放下以人為中心的思維習慣，試著以動物的視角進行反思與檢討：動物園的存在可真有其必要性？

延伸電影欣賞

Freaky Friday 辣媽辣妹

延伸閱讀

· *Violet Shrink* (Groundwood Books)
· 什麼時候可以給孩子買手機？：第一本給 E 世代父母的青少年網路社交教戰手冊（木馬文化）

給爸媽的小提醒

A. 孩子漸漸長大，不再是我們手心裡的娃娃，要如何適應調適心情？

B. 孩子的社交生活，爸爸媽媽應該放手？還是介入？還是共同參與？

I will never get a star on Mrs. Benson's blackboard

作者：Jennifer K. Mann

繪者：Jennifer K. Mann

出版：Candlewick; Reprint edition (March 14, 2017)

BOOK

09

不要吝惜給予孩子肯定與鼓勵
I WILL NEVER GET A STAR ON MRS. BENSON'S BLACKBOARD

故事簡介

教室裡 Benson 老師在上課，台下的學生踴躍舉手回答問題，只有一個學生 Rose 漫不經心地看著窗外，心想，她絕對無法在 Benson 老師的黑板上得到一顆星星的獎勵，因為她書桌總是髒亂一通，而且上課老是不專心，愛做白日夢。可是，Rose 其實也好想得到一顆星星！

其實 Rose 上課也是力求表現，只是都被自己搞砸。例如上台，在黑板回答數學題答錯，朗讀課文聲音太小，連遞送茶水點心都「出槌」，把茶水撒滿桌子。

　　有一天快放學之前，Benson 老師突然要求檢查抽屜，Rose
很緊張，臨時要整理也來不及，快輪到她時，下課鈴聲響了，有驚
無險！不過老師說明天還是要檢查，嚇得 Rose 隔天提早到校整理。

　　這天 Benson 老師要同學畫感謝卡送給 Sullivan 老師。畫圖

是 Rose 的強項，她拿出所有顏料，忘情地在紙上揮灑，把早上提前來清理的書桌，又搞得亂七八糟，這時老師走向 Rose，她以為老師要開罵了，結果不是，她反而獲得一顆星星。究竟發生什麼事呢？請您猜猜看！

貞慧說說話

身為老師的我，批改學生作業和試卷時，會在作業簿與考卷上蓋優良章，作為給學生的鼓勵。而這本繪本裡的 Benson 老師則是在黑板上寫出學生的名字，並在其姓名旁畫上星星記號作為獎勵，頗有異曲同工之妙。

這個故事不管在親子教養抑或學校教育上，都帶給我們一些提醒與啟發。繪本裡的 Rose 是個在學校裡很少有機會獲得師長讚揚的小孩，可是她內心其實很在意有沒有得到黑板上的星星，也就是她十分渴望獲得老師的肯定與獎勵，她也為此做了很多努力。每個小孩都渴求來自於父母師長關愛的眼神與溫暖的鼓勵，大人的一個小小的讚美與肯定，都會讓孩子高興個老半天，而且對孩子學習動力的提升，也有相當正面的影響，因此爸爸媽媽絕對不要小看我們大人給予孩子的任何肯定。

人都有比較的心理，多多少少都會有羨慕和忌妒他人的心態，只是大人與孩童相較之下，較容易找到調整情緒之道，然而當這種比較的心理也發生在小朋友身上時，孩子會如何應對這樣的壓力與挫敗？身為父母或師長的我們，是否曾思考過，我們一味讚揚某一位表現優異的孩子，更在全部孩子面前大肆表揚他，這樣的做法是不是同時也傷害了其他孩子的自尊與自信？這點實在值得我們大人省思，在獎勵優秀孩子的同時，是否也該找出鼓勵比較不優秀的孩子更加努力或發掘自我優點的方法？

　　我很喜歡繪本裡 Benson 老師的教學態度，她明確地知道每個學生的長處與不足之處，上課該糾正學生的時候就糾正，該讚賞學生的時候就讚揚，她並沒有因為 Rose 在數學方面表現不好，就全盤否定她。當 Benson 老師看到 Rose 優異的畫作時，毫不吝惜給予讚美，讓 Rose 終於也有機會得到一顆星星。這樣公平且溫暖對待每一位學生的老師，當然也絕對值得獲得學生們給她的一顆星星：

"Finally! I got a star on Mrs. Benson's blackboard, and so did she!"

（我終於在 Benson 老師的黑板上得到一顆星星，而老師也同樣獲得一顆！）

現在整個社會已朝向多元化的方向發展，未來世界的面貌超乎我們的想像，不過仍有許多爸爸媽媽仍固守著「把書讀好才能出人頭地」的舊思想，忽略了要去發現自己孩子的天分與專長，更以禁止的態度去阻礙孩子發展他們的天賦，這真的甚為可惜。期許身為父母的我們，都能拋開傳統社會對於「出人頭地」的舊觀念，學習以更寬廣的心態看待孩子的長處與價值，讓孩子有機會依循自身的才能與性向，去追求屬於自己的人生。

延伸電影欣賞

Taare Zameen Par 心中的小星星

延伸閱讀

關於如何引導孩子看待失敗和挫折，還可以閱讀這一本《慶祝失敗派對》（采實）

· 慶祝失敗派對（采實）

給爸媽的小提醒

A. 您平常如何給予孩子鼓勵？

B. 孩子表現不如預期時，該怎麼鼓勵？

Lovey Bunny
作者：Kristine A. Lombardi
繪者：Kristine A. Lombardi
出版：Abrams Books, USA

BOOK

10

當孩子犯錯時
LOVEY BUNNY

故事簡介

　　小兔子邦妮是個活潑的小女孩，媽媽總是對她說她好可愛。小邦妮除了愛玩耍，也愛閱讀；她喜歡黏著媽媽，看媽媽做家事，還會貼心地幫媽媽的忙呢！小邦妮也跟其他小女孩一樣，很愛漂亮，喜歡偷穿媽媽的衣服與鞋子，玩起扮裝遊戲。

　　有一天，邦妮看見媽媽的房間衣櫥掛著一件漂亮的新洋裝，是媽媽準備參加晚會要穿的。邦妮怎會錯過試穿的機會呢？她穿上新洋裝，在鏡子前照前又照後的，幻想自己是超級巨星，還穿新洋裝出門，騎著滑板車逛大街，想讓大家羨慕她一番。不料，此舉竟把

媽媽的新衣裙尾不小心給毀壞了！

　　邦妮偷偷地潛進家裡，卻被媽媽發現，媽媽見到花了好幾個月才完成的新衣，被邦妮毀壞的模樣，傷透腦筋地不知當晚該找哪件衣服來替代。邦妮知道自己惹出麻煩，哭著擔心媽媽是否依然覺得她是可愛的寶貝呢？

　　聰明伶俐的邦妮想到了好方法來補救被毀掉的晚禮服，她極力

想彌補過錯的心意，讓媽媽無比驚喜與感動！邦妮是怎麼補救那套晚禮服的呢？翻開繪本來看看吧！

貞慧說說話

　　看到邦妮的行為，是不是讓你回想起自己小時侯也有一段時間，像邦妮那樣對媽媽的東西感到好奇？每件東西都好想摸摸看、試用看看呢？似乎許多小孩都有相仿的童年經驗。像我妹妹的女兒小時候看到阿嬤化妝台上有好多瓶瓶罐罐，開啟了她探索與實驗的精神，竟誤把染髮劑當作口紅，擦得滿嘴黑，當時看到她一副天真無辜的模樣，真是哭笑不得啊。

　　這本繪本的圖文呈現十分活潑討喜，尤其讓我印象深刻的是媽媽看到邦妮為她修補晚禮服之後的反應，相當值得我們父母與師長省思。一般的情況，大人看到孩子犯了這樣的錯誤，都是一股氣衝上腦，不是先處罰小孩，就是擺出臭臉面對孩子。像我先生比較沒耐性，經常把情緒寫在臉上，我兒子已經與他的爸爸相處超過十年，深知爸爸的個性，因此形成我兒子很害怕犯錯，即使這個錯誤是無心之過，因為他已經可預料爸爸八成會對他的行為皺起眉頭、

表情嚴肅。所以每當類似的情況發生時，我兒子已經養成先發制人的習慣，經常跳起身來對爸爸大叫：「我就知道你會有這種反應！你又要罵人了！」而我則認為，這要看事情的輕重，若孩子犯的是無心之過，事後願意彌補就好。

在繪本裡，媽媽看到邦妮為她修補的晚禮服，她的反應是對邦妮說：

"How beautiful! I love it! Thank you, my lovey bunny!"

（好漂亮啊！我好喜歡！謝謝妳，我親愛的邦妮！）

邦妮的媽媽用寬容、感謝的態度和鼓勵的方式，來處理邦妮犯下錯誤後彌補的用心，這是讓我激賞的地方。真實生活中，或許面對孩子類似的狀況，我們很難做到完全心平氣和以對，但換個角度想想，孩子穿這麼長的衣服到外面去，沒有發生意外，平安歸來，這是多麼幸運、多麼令人感恩的事啊！我們應該先顧及、確認孩子的安危，然後才是處理孩子犯的錯誤這個部分。畢竟，沒有任何事物的重要性比得上孩子的平安！

其次，邦妮有想要補償的心情，修補媽媽損壞的禮服，她的這份心意和實際行動是很值得鼓勵的，這是一個負責任的孩子會有的

展現。如果您的孩子犯錯後，有一顆反省的心，而且也實際想做點什麼來彌補，其實爸爸媽媽們應該覺得欣慰，因為您教育出一個有責任心的孩子，未來他們將會成為勇於任事、勇於負責的成熟大人。

當孩子犯錯時，是教育孩子的最佳時機，父母可以趁此機會，教導孩子正確的觀念，導正孩子一些魯莽或漫不經心的行為，以降低未來發生更多的無心之過。我想，孩子在犯錯的當下，對於父母「溫柔而堅定」的導正教育一定會印象深刻，未來犯同樣錯誤的機率，是有可能減少許多的。

想和大家相互提醒的是，不管孩子犯了什麼樣的錯誤，也不管我們以何種方式處理，都不能讓孩子心裡產生「因為我犯錯，所以我不值得被愛」的錯覺。在沒有愛、只有責難中成長的孩子，只會增強他們的自我否定與負面行為。作為父母的我們，都應該謹記在心，時時提醒自己對孩子犯錯時的態度與反應是否過當。給孩子多些理解、包容，讓孩子在安心的環境下長大，而不是因為擔心被大人斥責，什麼事情都不敢放手一試，深怕犯了錯又被大人的壞臉色對待。寧可孩子在不斷犯錯中，我們慢慢引導他學習、進步，也不希望孩子在威權下怯怯懦懦地長大，活不出自己獨特的面貌與姿態來，不是嗎？

延伸電影欣賞

Brave 勇敢傳說

延伸閱讀

關於「犯錯」這個主題，有一本很可愛的繪本想和大家分享，書名為《我不是故意的！》。作家透過逗趣誇張的故事情節，想要傳達給讀者的是：「犯錯很正常，犯錯一點都不可怕。當你試圖躲避或掩飾犯錯的事實，可能反而導致更多不可收拾的局面。讓我們勇敢面對我們所犯下的錯誤，從中學習與成長吧！」

另外推薦《失敗了也沒關係》、《跌倒了，沒關係》。

· 我不是故意的！（小天下）
· 失敗了也沒關係（台灣東方）
· 跌倒了，沒關係（上誼）

給爸媽的小提醒

A. 上一次孩子犯錯時，您是怎麼處理的？

B. 如果下一次孩子再犯錯時，您會怎麼做？

Mommy, Pick Me Up

作者：Soledad Bravi
繪者：Soledad Bravi
出版：Farrar Straus Giroux Books, New York

BOOK

11

媽媽是孩子割捨不掉的依戀
MOMMY, PICK ME UP

故事簡介

在幼兒眼裡，媽媽如同超人一樣無所不能，也像是有求必應的阿拉丁神燈。因此，孩子萬事都會先找媽媽，例如麥片吃完了，找媽媽；肚子餓了，叫媽媽；找不到鞋子、睡衣，喊媽媽；覺得好冷，叫媽媽；身體不舒服，找媽媽；上完廁所要擦屁股，找媽媽；想讀故事書，找媽媽；摔倒了，哭著找媽媽；連覺得無聊時，也找媽媽；想要討抱抱、想撒嬌，當然也是第一個想到媽媽……。孩子一遇到事情，就會優先想到「最佳救援手」——媽媽。

那麼爸爸呢？孩子都不需要爸爸嗎？都不會有想找爸爸的時候

嗎？繪本的最後，孩子可是呼喚著爸爸呢！究竟是為什麼呢？結局可真令人會心一笑！

貞慧說說話

這本繪本的作者 Soledad Bravi 對於學齡前孩子如何深切地依賴著母親的各種情節，可真是瞭若指掌。讓我想起我家兩個孩子在幼兒時期也非常黏我，無論我走到哪，他們都想跟，連想自己一個人關起門好好上廁所，都沒法如願呢！

小孩在幼兒階段對主要照顧者（通常是母親）的依附度比較高，所以會出現幼兒若看不到母親，就會產生焦慮不安的心理狀態。而台灣有許多家庭採隔代教養，主要照顧者若是阿嬤，幼兒開口閉口便可能都是「阿嬤」。

孩子什麼事都要找媽媽，讓媽媽辛勞地疲於應付，我不禁在想：一定要當個什麼照顧工作都一把抓的媽媽，才算是負責任的好媽媽嗎？其實，我覺得媽媽應該承認自己有時在照顧孩子上也會力不從心，適度地與爸爸或其他家人討論，請其分擔一些照顧幼兒的工作，這樣母親才能夠身心均衡地繼續擔任「孩子的主要照顧者」

這個重要角色。否則，如果母親自己身體累垮了，或是心理出現失衡的狀態，如何培育身心健全發展的孩子呢？

　　繪本最後一頁，孩子不停地呼喊爸爸，然而一看到爸爸，卻開口問爸爸："Where's Mommy?"（媽媽在哪裡？）

　　這個畫面讓人看了忍不住莞爾一笑。難得孩子來找爸爸，爸爸期待著與孩子接下來的互動，興高采烈地問孩子：「什麼事呀？」，

結果孩子問的卻是「媽媽在哪裡？」，想必這位爸爸一定感到當場被澆了一盆冷水，很洩氣吧！其實爸爸也會希望有被孩子需要的感覺啊！父母可以共同討論分工一些陪伴孩子的項目，如此就不會發生孩子老是黏著媽媽，爸爸與孩子相處的權利與機會也不致遭到剝奪。

目前台灣社會一般存在的觀念，除非是單親家庭，否則依舊把教養孩子的工作加諸在媽媽的身上，所以孩子與媽媽的互動比率就比爸爸來得高出許多，事實上這並不利於孩子的均衡成長。建議爸爸媽媽該嘗試協調分工與孩子相處的時間，讓父親、母親與孩子互動的比例能均等一些，否則孩子太黏膩、依賴母親，卻與父親疏離，甚或漠視父親的存在，長久下來，無論對夫妻關係抑或親子關係的維護與經營，都可能帶來潛在的危機啊。

延伸電影欣賞

The Joy Luck Club 喜福會

延伸閱讀

孩子與母親的緊密關連是無可取代的,也因此當母親不在時,傷痛是難以接受的,因此我們應該平時就給予孩子超越生死的觀點,可以延伸閱讀以下這兩本書。《小傷疤》、《親愛的》。

· 小傷疤（聯經）
· 親愛的（小天下）

給爸媽的小提醒

A. 媽媽在孩子的心目中是什麼樣的角色呢？

B. 面對孩子依依不捨的情感，媽媽您怎麼做？

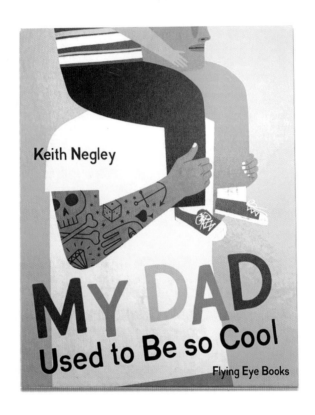

My Dad Used to Be so Cool

作者：Keith Negley
繪者：Keith Negley
出版：Flying Eye Books, London

BOOK

12

成為孩子眼中的酷爸與酷媽
MY DAD USED TO BE SO COOL

故事簡介

　　小男孩躺在床上，一邊望著正蹲在地上摺衣服的爸爸，一邊想著，自己的爸爸好像不夠酷炫，他懷疑爸爸是不是一直以來都是這樣呢？然而，他又覺得好像不是，因為有不少線索讓小男孩相信，他的爸爸曾經是個酷炫的男人。有哪些線索呢？包括爸爸身上很酷的刺青、家裡的儲藏室有一套搖滾鼓組。小男孩想，也許爸爸以前真的是個很酷的搖滾樂團成員！

　　小男孩相信他的爸爸曾經有過很酷炫的生活，在舞台上很狂野的表演，還可能留著龐克髮型暴走飆車，小男孩好希望能親眼目睹

I wish I could have seen it.

爸爸酷炫的一面。但為什麼爸爸現在不酷了呢？現在他看到的爸爸，都是一副認真做家事的模樣，除此之外，爸爸會花時間，幫他綁鞋帶、陪他在公園玩、帶他到海邊欣賞夕陽，這樣用心陪伴孩子的爸爸，小男孩到底覺得爸爸酷不酷呢？繪本的結尾畫面透露出端倪喔！

貞慧說說話

故事裡的爸爸在小男孩面前動手做家事，真的好酷！我也和繪本裡的小男孩一樣好奇，他的爸爸以前是不是真的是位搖滾樂手呢？

這本繪本是否也讓你想起，在為人父、為人母之前，那個曾讓你夜以繼日、鍥而不捨追求的理想或目標？小男孩不明白，為何爸爸要放棄心中的搖滾夢？而身為父母的我們都知曉，就是為了全心全意照顧並陪伴孩子啊！有時爸爸媽媽會遭逢在追尋夢想、規劃職業生涯與教養孩子之間無法面面俱到的局面，當站在抉擇的十字路口，不少人會為了孩子，暫停追求理想的腳步，因為既然把孩子生下來，我們就不願錯過參與孩子的成長啊！有些父母在暫時放棄理想，全心全意陪伴孩子長大成人之後，還能順利繼續追尋未竟之夢；也有許多爸媽放棄理想、照顧孩子，隨著時間無情的流逝，慢慢喪失了成就早年夢想的天時、地利與人和，而與心中曾有的美夢漸行漸遠。然即便如此，我相信當看著自己的孩子因著我們的用心陪伴與教養，正朝美好的人生方向走去，並感受到我們與孩子之間建立起深厚溫暖、歷久彌新的情誼時，便會覺得一切都是值得的，一點都不會後悔當初的決定。

在這本繪本裡，雖然畫面呈現爸爸在做家事，但從文字與圖像，我們並不清楚小男孩家庭的真實情況，也許是媽媽負責外出工作養家，也許這是一戶家中只有爸爸的單親家庭，但不管如何，這樣的情節鋪陳，忠實表達出當今家庭組成的多元樣貌，其中沒有摻雜是非對錯的價值判斷，相當可取。

這本繪本也間接傳達一重要訊息給父母，即親子間的相處，並非只有父母單向在細微觀察孩子的成長情形，其實孩子也同時在默默觀察著父母的言行。有句俗話說：「孩子是看著父母的背影長大的」，我卻覺得該修改為：「孩子是看著爸爸媽媽的一舉一動長大的。」因此，在孩子的成長過程中，父母的身教至為關鍵。平日親子間除了透過共讀和遊戲互動來培養感情外，父母也別忘了在日常生活裡時時以身作則，給孩子最佳的言行示範。例如，在這本繪本裡，我們看見小男孩的爸爸蹲在地上摺衣服、到廚房洗碗、在工具間修理電器……，這些舉動都給孩子非常棒的機會教育，大大顛覆了傳統社會認為「家事是女生的事」這一刻板且錯誤的印象，我相信受到如是薰陶的男孩們，將來長大後，一定會視做家事為再自然不過的事情。

雖然故事中的爸爸在當了爸爸之後，外表看似酷炫不再、時髦

不再，但一個願意付出愛與時間陪伴孩子長大的爸爸或媽媽，在孩子眼中和心裡，不就是再酷炫不過的酷爸和酷媽嗎？

延伸電影欣賞

Onward 1/2 的魔法

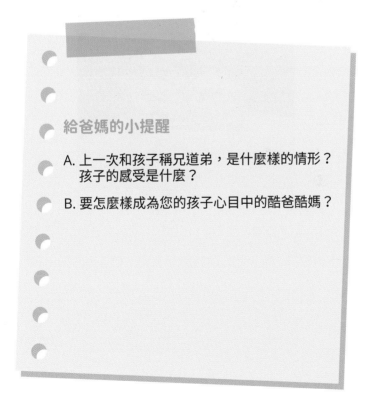

給爸媽的小提醒

A. 上一次和孩子稱兄道弟，是什麼樣的情形？孩子的感受是什麼？

B. 要怎麼樣成為您的孩子心目中的酷爸酷媽？

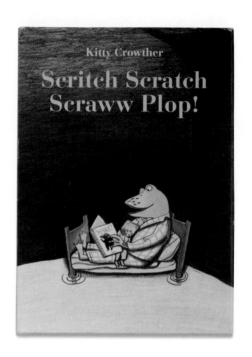

Scritch Scratch Scraww Plop!

作者：Kitty Crowther
繪者：Kitty Crowther
出版：Enchanted Lion Books, New York

BOOK

13

協助孩子克服恐懼
SCRITCH SCRATCH SCRAWW PLOP!

故事簡介

　　夜晚就寢時間到囉！青蛙媽媽帶著小青蛙 Jeremy 做完睡前該做的事，例如刷牙、換睡衣、讀床邊故事等，爸爸媽媽便關上燈，幫 Jeremy 把房門帶上，讓 Jeremy 安靜入睡。可是 Jeremy 躺在床上卻怎麼也睡不著，因為夜裡漆黑一片，而且總是不斷聽到奇怪的聲音，那些聲音聽起來像「Scritch! Scratch! Scraww! Plop!」Jeremy 無法辨識那些是什麼聲音，也不知道聲音是從哪裡來的，Jeremy 越想越害怕，幻想這些都是怪物們發出的聲音。Jeremy 恐懼到不敢獨自睡覺，跑到父母的房裡，想和爸爸媽媽作伴入睡。

Once more, Jeremy runs to his parents' bedroom.
"Scritch scratch scraww plop is still there."

"Leave me, little one, it's late.
There's no Scritch scratch scraww plop in your room.
At this, Jeremy, even that's gone to sleep."
grumbles Dad.

Jeremy 和爸爸媽媽擠在同一張床上，不停地亂踢亂動，讓青蛙爸爸難以入眠，乾脆自己跑去 Jeremy 的房間睡。睡到一半，青蛙爸爸也聽到了奇怪的聲音，他心想不如找 Jeremy 一起來找出怪

聲音的來源。於是青蛙爸爸叫醒 Jeremy，一起走出屋外，坐在大荷葉上仔細聆聽四周的聲音，終於發現怪聲音原來都是在夜晚活動的動物所發出的。青蛙爸爸解除了疑惑之後，Jeremy 終於不再害怕黑夜裡的奇怪聲音了。

貞慧說說話

　　這本繪本是由榮獲多項重要獎項的知名繪本家 Kitty Crowther 所創作的，她在故事情節的鋪陳上，有讓人會心一笑的安排。我十分欣賞故事裡青蛙爸爸面對小青蛙懼怕黑夜時的處理方式。記得我小時候也非常怕黑，尤其若是白天聽到長輩聊到社會上發生的可怕兇殺案件，更讓我對黑夜的來襲感到驚懼不已。夜晚讓我害怕的不僅是黑暗，還有伴隨而來的靜默，會讓獨自在一個房間睡覺的我白天不會想到的事，到了黑夜時便開始胡思亂想，自己嚇自己了。我的女兒在幼兒時期也怕黑，睡覺時一定要亮著燈才願意入睡，如果大人在她睡著後擅自把燈熄滅，她有時還會立刻醒來，抗議我們為什麼關燈呢！還好隨著年紀增長，女兒對黑暗的恐懼已淡化許多，現在只要房內留有微光，不是全然一片漆黑，她便能很快進入甜美的夢鄉。

在西方的家庭，父母很早就開始訓練孩子獨睡的習慣與能力，藉此培養孩子獨立的個性。台灣父母則對孩子疼愛有加，經常不捨孩子害怕，對於孩子央求與父母同睡通常不會拒絕，但孩子總會長大，終究得面對獨睡的一天。父母必須帶著同理心，協助孩子克服面對，而不是帶著輕蔑的語氣說：「有什麼好怕的？你都長這麼大了！」其實，用這般嗤之以鼻的口吻來處理孩子的懼怕，並無法有效解決問題。我們可以學習故事中的青蛙爸爸，帶孩子去找出怪異聲音的來源，並引領孩子去欣賞、感受黑夜的美好，孩子就會發現，原來黑暗沒那麼可怕，原來未知的聲音其實是一些可愛夜行性小動物的聲音，這樣應該比較容易真正幫助孩子克服心理上的恐懼，建立安全感。

　　另外，這本繪本也傳達出一個訊息──當孩子對父母表達自己看到什麼或聽到什麼時，不要立刻否定或懷疑孩子的說法，請試著抱持好奇、敞開的態度來理解孩子的感受。像故事裡青蛙爸爸本來覺得小青蛙自己在胡思亂想，根本沒什麼奇怪的聲音，等到他自個兒來到小青蛙的房間睡覺時，發現的確聽到一些奇怪、令人不解的聲音，這才相信小青蛙所言。因此，當孩子說了一些我們聽來覺得不可思議的事時，切莫立刻展現出一副難以置信的模樣，而應好好

傾聽，再陪伴孩子去尋找答案或解決方式，這樣不僅能增進親子的互信與感情，也能提高孩子的自信心。

繪本裡有一段觸動我的話：

He goes to wake Jeremy. "Come on," Dad whispers. "Let's go see what's making that Scritch Scratch Scraww Plop."

（青蛙爸爸把小青蛙 Jeremy 叫醒，並對他說：「來吧！讓我們去找出到底是什麼東西發出 Scritch Scratch Scraww Plop 這些奇怪的聲音吧。」）

然後父子倆來到戶外尋找聲音的來源，一一排除了小青蛙對怪聲音的困惑，也安撫了小青蛙害怕黑暗的心情。後來父子倆還相依偎在荷葉上聊天，聊到睡著呢！這樣的親子共處時光多幸福溫馨，如是難忘的美好記憶肯定會深深烙印在小青蛙的心上，將來每次憶起，嘴角忍不住都要上揚的！

延伸電影欣賞

Monsters Inc. 怪獸電力公司

延伸閱讀

有關「克服恐懼」還有不少相關的繪本，如《The Great AAA-OOO!》，中文版書名為：《什麼聲音？AAA-OOO！》。

· *The Great AAA-OOO!* (Tiger Tales)
· 什麼聲音？ AAA-OOO！（東雨文化）

給爸媽的小提醒

A. 孩子最近恐懼、害怕的事物是什麼？

B. 您怎麼幫助孩子克服恐懼？

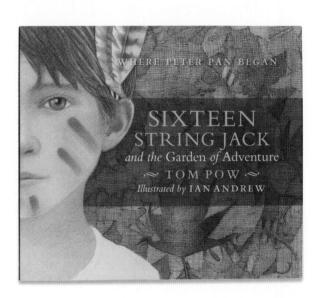

Sixteen String Jack and the Garden of Adventure: Where Peter Pan Began

作者：Tom Pow
繪者：Ian Andrewr
出版：Birlinn Limited, UK

BOOK

14

快樂的遊戲童年有助啓發創造力
SIXTEEN STRING JACK AND THE GARDEN OF ADVENTURE: WHERE PETER PAN BEGAN

故事簡介

小女孩黛西和奶奶身在一座雜草叢生的花園，奶奶知道在樹叢的後面有一條河流，只是從花園這裡看不見。花園變成這樣讓奶奶很難過，而旁邊的房子荒廢傾頹更讓奶奶傷心，奶奶對黛西說，這裡以前完全不是這樣子的。

奶奶回想起，她的祖母瑪姬年輕時曾在這座大宅工作。瑪姬告訴她那座大宅裡住著一對小兄弟，他們和一個新搬來鎮上、身材瘦小的男孩傑米 Jamie 非常要好，成天在大花園裡玩耍，彼此取了很酷的綽號，想像力強大地假想自己是海盜，玩著海盜四處探險尋寶

的遊戲，花園總是充滿了嬉笑聲。

　　小傑米注意到兩兄弟的父親，每天都嚴肅、專注地在屋子裡的書房工作，他懷疑那樣到底有什麼樂趣？他告訴自己，長大後也要永保童心。後來他朝著寫作的夢想努力前進，本著童年的赤子之

心，傑米完成了舉世聞名的童書《彼得潘》（*Peter Pan*），這本書讓他從此名利雙收，並得到英國女皇贈封為爵士（Sir）。傑米後來回到他當初就讀的小學演講時表示，那段在大花園盡情遊戲的童年時光，就是他創作《彼得潘》最大的靈感來源。

貞慧說說話

故事裡的小傑米，就是英國著名的童書《彼得潘》（*Peter Pan*）的作者 James Matthew Barrie。此繪本描述的便是童年生活如何造就 James Matthew Barrie 日後創作出這本經典雋永的童書。

我從這則故事讀到的訊息是：「父母應該給孩子充滿無盡想像與遊戲的童年，以滋養他們未來的創造能量。」傑米和兩兄弟不斷

透過角色扮演，以及對劇情、服裝的想像，無形中開發了他們創作的潛力。

繪本中讓我很有感觸的一句話是：

"Wouldn't it be wonderful to have adventures like this all the time? Wouldn't it be wonderful never to grow up and to become serious like Mr. Gordon has to do?"

（要是能夠像這樣一直冒險下去，不是很棒嗎？要是能夠永遠不要長大、做像 Gordon 先生那樣嚴肅的工作，不是很棒嗎？）

傑米希望童年時光的快樂與純真能夠無止盡地延續，他不想要像兩兄弟的父親從事那般古板嚴肅的工作。也因為傑米隨時保有童心，才能創作出《彼得潘》（Peter Pan）這本出色、膾炙人口、深受好幾世代孩童喜愛的童書。

不過，我倒是想為兩兄弟的父親平反一下。這個父親從事的是律師的工作，這工作責任重大，必須對客戶負責，也有其神聖性，必須嚴謹待之，總不能嘻皮笑臉地幫客戶處理法律訴訟案件啊！

我想小孩子的夢想，從小即在遊戲中慢慢萌芽，父母應該從孩

子遊戲的過程，觀察孩子擅長或有興趣的項目，盡量讓孩子浸淫其中，說不定不知不覺中，這些遊戲已啟發或激盪出孩子未來發展的方向呢！

　　而擁有快樂的情緒，對孩子是非常重要的。如果父母一廂情願，過早提供孩子不適切的學習素材與工具，不僅剝奪了孩子享受快樂童年的權利，對於孩子創造力的培養恐也將適得其反。若能浸潤在快樂的遊戲氛圍中，會直接或間接引爆孩子的創造力；從遊戲中也能培養、建構出一些應對狀況、處理問題的重要能力。

　　有些爸爸媽媽會覺得孩子玩遊戲很浪費時間，應該將這些玩耍的時間拿來學習。其實，孩子從遊戲中獲得的快樂與滿足是無比巨大的，有助於身心的健全發展，希望爸爸媽媽不要低估遊戲對孩子的正面影響。

　　每個大人的內心都住著一個純真的小孩，父母可以靜下心回想，自己小時候是抱持什麼樣的心情，是不是也好希望好希望能夠擁抱充滿歡笑聲的遊戲童年？而我們大人所想的，其實也正是孩子心裡所盼望的，每個世代的孩子皆然。

延伸電影欣賞

Toy Story 玩具總動員

延伸閱讀

關於用遊戲陪伴孩子的時光，還可以參考以下的二本書。

· 遊「戲」童年：扮戲 × 看戲 × 陪孩子玩出潛實力（大好書屋）
· 華德福經典遊戲書（小樹文化）

給爸媽的小提醒

A. 您的孩子最喜歡什麼遊戲？

B. 您覺得您的孩子快樂嗎？

C. 如何陪孩子遊戲呢？

Tell Me a Tattoo Story

作者：Alison McGhee
繪者：Eliza Wheeler
出版：Chronicle Books, California, USA

BOOK

15

去除對事物的刻板印象，從父母做起
TELL ME A TATTOO STORY

故事簡介

年幼的孩子對於爸爸身上充滿著各種圖案，感到很好奇，後來他學到那叫做「刺青」，那麼，為什麼爸爸身上有這麼多刺青呢？爸爸說，每一個刺青的背後都蘊藏著一段故事喔！喜歡聽故事的孩子當然不想錯過聽故事的機會，爸爸也停下手邊洗碗的工作，回應孩子對刺青的好奇。

孩子先指著爸爸肩膀上的那隻飛龍刺青，爸爸說，那是小時候他媽媽（也就是孩子的祖母）說給他聽的故事中，他最喜歡的一個角色。孩子又指著前手臂上 "Be Kind"（善待萬物）的字樣，爸

爸說那是祖父對做人處世的諄諄教誨，爸爸希望能永遠記住。還有
一個刺青，是紀念他遇見此生最愛的女子──就是，孩子的媽媽。

　　在爸爸的身上，還有個刺青是紀念他曾有過的一段最為漫長的
旅程，那是一場讓他非常思念故鄉與家人的傷心旅程。另外一個是
帶著數字的心形刺青，是某人的生日，也是爸爸最愛的刺青。這兩
個刺青背後各自蘊含著什麼重要的意義呢？如果是你，你會在你的
身上刺下什麼圖樣，來訴說你獨一無二的生命故事呢？

貞慧說說話

　　不知道各位爸爸媽媽身上有刺青嗎？大家對刺青的印象是什麼呢？說實話，我以前很怕看到刺青和身上有刺青圖案的人，如果身旁帶著孩子，都會立刻敬而遠之，並告訴孩子身上帶有刺青者恐非善類。那是來自於我早年在制式教育下，對刺青產生的刻板負面印象與偏見，感覺身上有刺青的人，就是一些為非作歹的不法人士之類，我想不少父母應該跟我有同樣的印象吧！然而，這本繪本大大地顛覆了我的觀感——原來有刺青的人，身上的圖案背後可能藏著

不為人知的動人故事啊！

　　許多的部落社會都有刺青的傳統，具有象徵性的意涵，例如地位的象徵，或者是人生邁入新階段的象徵。曾有一位朋友與我分享，他的學校有一位來自夏威夷的教師，他說他們的傳統，就是家族中每增加一名成員，就會在身上刺一個新的刺青，以資紀念。

　　很可惜刺青在早期的亞洲社會，被視為黑道與幫派分子的標誌，人們開始對身上有刺青的人，產生偏見，例如在日本，公共溫泉是謝絕身上有刺青的客人的。時至今日，刺青越來越普遍，人們想要刺青的目的也各有不同：有人單純想表現自我酷炫風格，有人則想要一個具有藝術美感的刺青圖案。曾有位罹患乳癌、切除乳房的女性，決定在切除的疤痕上刺一朵花，勉勵自己雖然少了一個乳房，依舊可以是一朵盛開綻放的美麗花朵；有人把自己來不及長大的孩子的臉刺在手臂上，以此紀念孩子；也有人希望刺上一些可以自我勉勵的圖案，例如著名的巴西足球選手內馬爾，在小腿上刺了一個手拿足球的小男孩，眺望著他成長的貧民窟，用來激勵自己在世界足壇發光發亮，後來他也真做到了，這就是相當勵志的刺青故事。

　　故事中爸爸手上的"Be Kind"（善待萬物）字樣，是爸爸的爸爸（爺爺）從小對他的教誨，他謹記在心，甚至怕忘記而刺在手臂上，隨時提醒自己。雖然不是每一個人都會用刺青的方式來記住某些重要的話語，還有很多其他方法可以採用，但這位爸爸刺青並不是拿來炫耀或威嚇他人，而是有這麼感人的原因，著實觸動我心！

　　看完這本繪本後，未來我再遇見身上帶有刺青的人，將不再對之抱以負面評價，反而會心生好奇，想知道他們身上的刺青故事呢！

　　閱讀就是這麼一件美好的事，透過閱讀，我們有機會修正自己原有對人事物的刻板印象。這些刻板印象可能讓我們無法開啟心胸去對待與我們在想法和行為上大相逕庭之人，也阻礙了我們帶著好奇的眼光去探索已知環境以外的廣闊世界，這不是非常可惜嗎？可能因此一輩子活得既侷限又固著了！反之，若願意帶著柔軟開放的態度，多去了解原本陌生的事物，進而因了解而尊重、而接納，這樣不但會越活越自在、敞開，孩子在我們身教的耳濡目染下，也將成為胸襟開闊、樂於接受差異與多樣性之人。

Zootopia 動物方城市

延伸閱讀

關於顛覆刻板印象也可以參考以下繪本，用有趣的方式來翻轉我們的視野。《凱文公主》、《長壽湯仙女》、《大野狼和他的 14 隻小野狼》。

· 凱文公主（小熊出版）
· 長壽湯仙女（維京）
· 大野狼和他的 14 隻小野狼（青林）

給爸媽的小提醒

A. 這個社會上存在著什麼刻板印象？和孩子討論一下。

B. 您是否有什麼親身的經歷、社會上的新聞等等，可以分享給孩子？

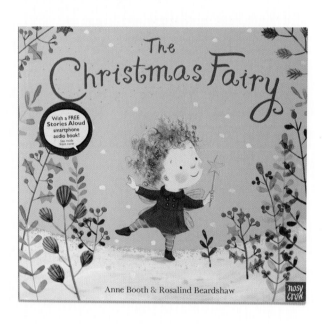

The Christmas Fairy
作者：Anne Boothr
繪者：Rosalind Beardshaw
出版：Nosy Crow Ltd., London

BOOK

16

當孩子的伯樂
THE CHRISTMAS FAIRY

故事簡介

　　仙子學校裡有位小仙子名叫 Clara，是個總是嘰嘰喳喳說話、興高采烈的小仙子。Clara 時常手舞足蹈，唱個不停，把歡笑帶給全班；每一天，她都盼望在聖誕樹上成為勝任的小仙子。後來仙子學校的 Petal 老師給大家上聖誕節仙子課程，教大家所有該知道的事，例如：學習如何像雕像般動也不動地站在聖誕樹上，而且要像小老鼠一樣保持安靜。老師特別提醒愛說話的 Clara，要用心牢記她說的每一件事。

　　整個學期，每位仙子都要認真練習自己負責的姿勢，到了聖誕

節，老師要帶他們去一場聖誕晚會，節目中會有藍鳥獻唱美妙的歌曲、逗趣的企鵝小丑表演，還有優雅的天鵝舞蹈。Clara 練習自己的姿勢時，快樂的心情讓她不禁哼唱起歌曲來，她不停地幻想，衍生出各種搞笑姿勢，卻惹得 Petal 老師不太高興。Clara 對於無法符合老師的要求，沮喪萬分，開始出現自我否定的行為。

終於，聖誕節到了，晚會表演即將開始，然而卻突發一連串意外，導致原先安排的節目都無法順利演出。這時，聖誕老人請 Clara 上台協助演出。一開始，Clara 不確定自己的表演是否可以滿足大家，但受到聖誕老人的鼓勵，她使出看家本領，又唱、又跳、又搞笑，不但挽救了差點開天窗的聖誕晚會，還贏得台下如雷的掌聲，連聖誕老人也稱讚這是有史以來最棒的聖誕晚會！最後，Clara 成為站在聖誕樹上最榮耀位置的小仙子。

貞慧說說話

看完這個故事，我忍不住為小精靈 Clara 高興，並為她鼓掌！不管是傳統的家庭教育還是學校教育，大人為了方便管理孩子，對於像 Clara 這樣喋喋不休、靜不下來，愛搞怪，想展現自己就忘情表現的孩子，大人多傾向採取不鼓勵，甚至壓抑的態度。然而，大人們都忘了，人生而不同，包括我們大人自己，每個人都有屬於自己的特質，孩子自然也不例外。

許多情況下我們會希望孩子能配合一致的動作，例如：老師希望孩子上課能同時安靜聽課，翻閱同一本課本，以方便教學；父母希望孩子能配合全家人的用餐時間，以方便大人下廚與整理餐桌、

清洗碗筷的時間。有些孩子可以聽話地正襟危坐，有些孩子就是好動坐不住。孩子可能會因為大人對自己的特質採取管制的態度，直接或間接地造成自我懷疑與自我否定的心理與行為。因此當讀到 Clara 被老師責備後，出現自我懷疑的內心話：

"I'll never be a proper fairy on a Christmas tree. I am a noisy, wriggly giggler and I wish I wasn't me."

（我一定無法勝任當聖誕樹上的仙子，我愛吵鬧、愛動來動去、又愛咯咯笑，真希望我不是我。）

看到這一段話，我的心裡好難過。

其實有許多情況，孩子展現其不同的特質，並不會為大人帶來猶如世界末日般的困擾啊！例如繪本裡的 Clara，活潑好動，這樣的個性在要求大家動作一致的老師眼裡，當然苦惱而不能容忍；可是聖誕老人卻記住了 Clara 總是帶給大家歡笑的美好特質，提供她一個舞台，讓她有機會證明自己的才能，也成功挽救了差點失敗的聖誕晚會。對 Clara 而言，聖誕老人是看見她身上亮點的伯樂！各位爸爸媽媽們，試著回憶一下，你們當過自己孩子的伯樂嗎？還是一味糾結在自己的孩子與別人家孩子的不同之處呢？

　　受挫的孩子，花在重建自信上所需的時間因人而異，但倘若孩子有爸媽愛的陪伴與支持，相信在重建自信的過程會走得更為順利。我的兒子在小學低年級時，老師在期末成績評量單上給予評語，說兒子各方面都表現良好，「但是」，如果繪畫上能再多多加強，就會更棒啦。當時一看到老師這樣的評語，就有點擔心兒子是否會因此自信心受到打擊，從此認定自己就是不會畫畫，也不想提筆畫畫了。繪畫本該是一件快樂的事，老師若以大人的標準來評量小孩畫得好不好，其實並非適當的做法。許多孩子在學齡前都好喜歡畫圖，得到大人負面的論斷之後，便心生「我畫得不好」的挫敗感，開始抗拒畫畫。我那時對兒子說：「你沒有畫得不好，畫得開開心心最重要，不用太在意老師的看法喔！」，連兒子的阿嬤也在一旁鼓勵他，增強他的自信心。那天晚上，兒子拿成績單給他爸爸看時，對爸爸說：「老師說我不會畫圖，才不是呢！我畫得很可愛！」這樣就對啦！好開心當時兒子沒有因此產生自我否定的心理啊！

　　父母在孩子受創時，應該適時協助孩子重建信心，讓他們能夠帶著滿滿的正能量面對未來人生中的挫折與挑戰。

延伸電影欣賞

Forrest Gump 阿甘正傳

延伸閱讀

肯定孩子是最重要的教養觀，唯有認同、理解、支持、陪伴是從「心」出發的優質教養。除了繪本也可以看看教養書，如：《阿德勒的父母成長課：全心接納，肯定孩子做自己》。

· 阿德勒的父母成長課：全心接納，肯定孩子做自己（遠流）

給爸媽的小提醒

A. 您知道孩子的興趣、天分、擅長的事物嗎？

B. 要如何理解孩子，當孩子的伯樂？

The Iridescence of Birds: A Book About Henri Matisse
作者：Patricia MacLachlan
繪者：Hadley Hooper
出版：A. Neal Porter Bppk, Roaring Brook Press, New York

BOOK

17

身教與境教對孩子的重大影響
THE IRIDESCENCE OF BIRDS: A BOOK ABOUT HENRI MATISSE

故事簡介

　　試想你是個名叫亨利・馬諦斯（Henry Matisse）的小孩，從小生長在法國最北部，靠近與比利時的邊界──那是個一到冬天，白天天色便變得灰濛濛、陰沉沉，跟晚上沒有兩樣的城鎮。住在這種地方的小孩，個性與情緒一定很抑鬱吧？

　　但實際上亨利・馬諦斯卻完全沒有養成抑鬱陰沉的性格，這全來自於他成長的家庭氛圍、鄰里環境以及父母親的潛移默化。

　　小亨利的家經營花卉事業，母親每天帶他上市場，挑選各式花材、購買各種水果。回到家，母親會讓小亨利自由擺設水果盤，也

　　讓他自主決定如何插一盆花。當然小亨利從小就看著母親做這些事，久而久之也看出心得。另外，小亨利父母的審美觀，也影響了小亨利的美感養成，例如母親在家裡鋪上大紅色的地毯與壁毯。另外，鄰居皆從事法蘭德斯毯的編織工作，看著鄰居編織著色彩豐富的法蘭德斯毯，也間接影響小亨利對色彩的感受性。而與經常作畫的母親相處，讓小亨利每天都生活在顏料與調色盤之間，這對小亨利未來的藝術生涯有絕對關鍵的啟蒙影響。

小亨利的父母讓他飼養鴿子，鴿子銳利的眼神與紅色的腳丫子，都讓小亨利感到好奇，往往觀察許久，尤其鴿子的羽毛在光線反射下變化多端的色彩，更令小亨利著迷不已。

即使小亨利所處的自然環境不利於他對美的感受，但是他生活周遭富含美感的人為環境，包括父母從事的行業、母親的繪畫興趣，還有鄰居們擅長的法蘭德斯毯編織工藝，都是讓亨利 · 馬諦斯晉升為 20 世紀最偉大藝術家之一的重要養分來源。

貞慧說說話

看完亨利 · 馬諦斯的童年成長經驗，深深感受到家長對孩子的影響何其巨大，巨大到可以深遠影響孩子的一生。

馬諦斯生長的自然環境，是冬天既漫長又幽暗的城鎮；冬天日照短，陽光不充足，但我們現在看到的馬諦斯作品，用色卻相當明亮且豐富，這大部分來自母親對他的影響。母親對於馬諦斯喜歡做的事，都是採取接受與鼓勵的態度，讓馬諦斯能充分發揮自己對藝術的獨特觀點與感受力。他曾說，母親是他在幽暗的冬天裡，生活充滿光明的最大原因，他對顏色的敏感度即傳承自母親。後來人們

看到馬諦斯畫作很大的比例上皆呈現鮮明用色，我們或許可說，馬諦斯不少的藝術作品是其童年記憶的再現與再創作。

我想起我的女兒，她從小經常跟著我看書，久而久之也養成閱讀的習慣；她也時常跟著我到各處演講，對於媽媽演講的內容，也漸漸培養出一些獨特的觀點，甚至她看著我經常在書桌前振筆疾書地寫作，也同樣影響她嘗試提筆寫故事、寫文章。由此可知，父母的言行對子女的影響是很深長的。

我總聽到一些孩子抱怨，下課後要去上才藝班，例如鋼琴課、繪畫課等，我很好奇的是，這些孩子的父母是否也對鋼琴、繪畫有著很大的興趣，或頻繁地接觸呢？如果沒有，孩子看到父母在家不是看電視追劇，就是亂無目的地滑手機打發時間，那麼我想把孩子送去才藝班學才藝，對其在美感上的薰陶，效果應該極其有限、微乎其微！培養孩子的美感力，其實不是花錢補習就能得到。透過家庭營造的環境與氛圍，以及大量閱讀多元畫風的優質繪本，美感力方能在無形中日積月累慢慢培養出來。

我深深感覺，台灣的美感教育目前依舊貧乏，然而其實接觸藝術美學的管道存在於城市的許多角落，爸爸媽媽不妨從現在開始，

週末的家庭活動之一，就是安排一次藝術參觀活動，或者與孩子一起參與某些藝術課程吧！

馬諦斯成為一位藝術家之前，曾歷經一段家庭革命。身為家中長子，馬諦斯被父母送去巴黎讀法律，結業後回到故鄉擔任法庭行政人員。馬諦斯正式接觸繪畫，是從 1889 年開始，當時他罹患闌尾炎，正值康復期間，他的母親帶一些繪畫工具給他。從此之後，馬諦斯從繪畫領域裡，發現一個宛如天堂般的世界，於是他決心成為藝術家，不過這項決定，卻讓他的父親深感失望。

當孩子的志趣不符合家長的期待，時常容易造成親子之間的矛盾與衝突。對於孩子的選擇，從父母能夠支持孩子到什麼程度，就能看出父母有多信任孩子做抉擇的能力。請相信每個孩子都有能力找到生命的出路，做父母的我們，一定要認知到孩子不是我們的附屬品，孩子不是為了完成我們未竟的理想而來到這世界上，孩子此生有他自己的使命與夢想，就讓孩子走向他自己的人生道路，我們只須做他最溫暖的後盾與最強大的精神支援。千萬不要因為一己的私心與執念，成為那塊誤了孩子美好人生的關鍵絆腳石。

The Lion King 獅子王

延伸閱讀

關於介紹藝術家亨利 · 馬諦斯（Henri Matisse）的繪本，還想介紹這本《Henri's Scissors》給大家。這本繪本出自 Jeanette Winter 之手，他創作的每一本傳記繪本都很值得一讀哦！是貞慧一直有在持續關注的一位優秀繪本創作者。

· *Henri's Scissors* (Beach Lane Books)

給爸媽的小提醒

A. 孩子是否有什麼行為您覺得需要調整的？

B. 您自己也是用以身作則的方式帶領孩子嗎？

C. 還有什麼環境教育可以協力的？

The Line Up Book

作者：Marisabina Russo
繪者：Marisabina Russor
出版：Greenwillow Books, New York

BOOK

18

在對孩子寵溺與管教之間尋求平衡
THE LINE UP BOOK

故事簡介

午餐時間到了，小山姆還在自己的房間玩耍，媽媽呼喚小山姆到廚房吃午餐，小山姆應聲說：「再等一下。」接著他突發奇想，把字母積木全倒出來，一個接一個地排成一列，打算就這麼把積木排到廚房去。

媽媽又在呼喚了！小山姆要媽媽再等一下。積木排光了，他接著找其他東西繼續銜接，包括書本、玩具、鞋子……等等，這一條線從房間排到走廊，經過浴室、大門玄關、客廳等地方，媽媽數度呼喊，都不見小山姆來到廚房，媽媽於是向小山姆預告：「你再不

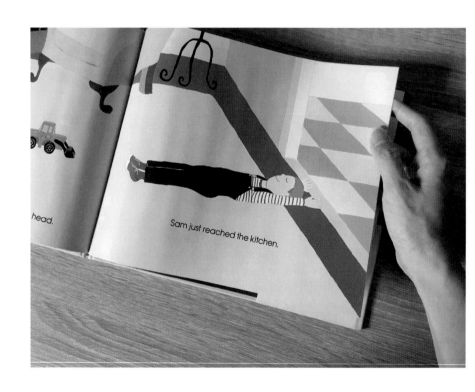

head.

Sam just reached the kitchen.

來，我要開始數到三了！」小山姆眼見自己排列的路線，就剩最後那麼一點點的距離便能連接到廚房門口，手邊卻沒有可利用的東西。就在媽媽數到三並站在廚房門口的同時，小山姆靈機一動，將自己的身體作為道具——躺平，成功地連成一線！

如果是您，面對這麼有創意的小山姆，但是遇到長輩呼喚時，他卻出現拖延行為，您會如何反應呢？

貞慧說說話

故事裡，媽媽呼喊孩子，孩子卻再三拖延的情節，相信爸爸媽媽都不會感到陌生才是。那可能是許多家庭經常發生的畫面，不是爸媽叫不動孩子，就是孩子對爸媽的呼喚沒給予積極的回應，一再敷衍、拖延，最後時常都是家長暴跳如雷地對孩子大吼大罵，或是像故事中小山姆的媽媽使用「數到三」絕招，然後採取處罰的方式來威脅孩子遵守父母的指令，父母如此的應對方式，將導致與孩子之間產生不愉快的場面。

一般家庭裡，大多是由爸媽負責安排全家的作息時間，小孩則配合大人全部的計畫，例如：該吃飯的時間、該洗澡的時間、該寫

功課的時間、該上床睡覺的時間……等，都由爸媽決定。多數爸媽在規劃這些時間前，恐怕很少有人會先詢問孩子是否配合得來，或是與孩子共議時程的安排，也不會花心思去找出為何孩子無法配合的原因，才會每每出現當大人呼喚孩子，孩子卻沒能積極配合時，親子雙方都帶著不快的情緒來看待、回應彼此了。

其實親子間很多的衝突，都是可以避免的。我的孩子在我呼喚他們一起來參與家庭的一些活動時，經常像故事裡的小山姆那般，老愛說「等一下」來拖延。當我叫了他們幾次，他們依舊沒動靜時，我的第一個動作，就是走去他們所在的地方，了解他們手邊正忙著什麼事，到底是什麼原因讓他們無法離開。有時候我發現他們正各自沉浸在一本情節很精彩的書中，有時候他們在拍一部微影片，幾乎要拍到結尾了，這時我會做出彈性的預告，例如：再給他們 10 分鐘看完正在閱讀的章節，或是讓他們把影片錄製的工作收個尾。以此稍有彈性的方式處理，時間到了，孩子通常會遵守約定。不過，如果我發現他們的拖延只是在玩手機遊戲，或者毫無緣由地躺在床上不想動，只是在耍廢，那麼我認為此時便有管教導正的必要。

當然，也許父母覺得容忍孩子對自己呼喚的一再拖延，是縱容的表現，未來可能導致孩子對父母不服從，會不斷找藉口延遲，所

以最好在這方面做好管教為宜。其實父母不用太擔心，相信我們可以在縱容與管教之間取得平衡的。在這本繪本裡，媽媽雖然數度呼喚小山姆，但她並沒因此發怒，而是走出廚房，試圖了解小山姆為何不能趕快來到廚房的原因。當她發現小山姆如此有創意地就地取材，排出一條線時，她並沒先責難小山姆浪費時間，盡做些沒有意義的事，反而是讚美小山姆的創意，讓從房間到廚房如是再平凡不過的日常路徑，以遊戲的方式使其變得更富趣味。媽媽擁抱小山姆，並表達對小山姆的愛；同時，媽媽不忘施以規範，溫和而堅定地對小山姆說：

"But next time please come when I call you."

（下次我呼叫你時，你要來喔！）

由此可見，媽媽在讚賞小山姆的創意行為之餘，並未縱容小山姆的拖延行為喲！

故事中的媽媽在看見小山姆展現可貴的創造力之時，除了真心給予適時的讚美與鼓勵，還是對小山姆實施了機會教育，她讓孩子知道：「下次當媽媽叫你的時候，請你要馬上來。」這種不致扼殺孩子創造力、又守住教養原則的做法，值得我們身為父母者學習。

延伸電影欣賞

Dangal 我和我的冠軍女兒

延伸閱讀

關於教養，坊間的書籍很多父母可以不時充電，隨時調整自己的教養方式以及觀點。

- · 你的管教，能讓孩子成為更好的大人：從他律到自律，小熊媽暖心而堅定的教養法（時報）
- · 管教的勇氣：該管就要管，你要幫孩子變得更好（時報）
- · 教養，你可以做得更好：勇於承擔父母的責任，相信管教的力量（遠流）

給爸媽的小提醒

A. 您對孩子的管教方式是民主式？威權式？或是其他？

B. 如何才能取得平衡呢？

This is Sadie

作者：Sara O'Leary
繪者：Julie Morstad
出版：Tundra Books, New York

BOOK

19

別讓 3C 產品限制孩子的想像力與創造力
THIS IS SADIE

故事簡介

Sadie 是個想像力豐富的小女孩。清晨，當大家都還在睡夢中時，她便開始了她的精采想像歷險──Sadie 躲進紙箱子，想像自己坐在一艘巨大的船上，橫越遼闊的海洋。在做這些事的同時，她也很貼心地不發出吵鬧聲，因為她知道這時大人都還在睡覺，遊戲結束後，還自動自發地將房間整理乾淨。

早上穿衣服時，Sadie 也想像自己與最喜歡的洋裝聊天，一整天她在戶外和各種朋友玩耍──住在街頭的真實人物，還有存在於自己想像世界的動物，她幻想自己是住在海底的人魚，或是被野狼

養大的野孩子，抑或是到愛麗絲夢遊的仙境裡和小動物們喝茶；透過想像，Sadie 扮演各式各樣不同童話故事的角色。

　　Sadie 爬到樹上與鳥兒聊天，想像自己擁有一對隱形翅膀，可以帶她到處遨遊，然後帶她回家。對 Sadie 而言，每天都有趣，每天都精彩；因為她有太多事可做、可創造，且透過神奇的想像力，她可以到達許多現實世界觸及不了的地方。這就是 Sadie，你喜歡她嗎？

貞慧說說話

這是一本關於孩子創造力呈現的繪本，現今很多繪本故事都設定為只有一個小孩的家庭型態，這多少也反映整個時代的社會現狀。身為家中唯一的孩子，在沒有手足的陪伴之下，的確很多童年時光都需要自己想辦法自得其樂。

早期，物質生活比較匱乏年代的孩子，似乎較能利用無邊無際的想像力，為自己的日常生活開創樂趣。例如這個故事裡的莎蒂，光是一個紙箱子，就能將之想像成一艘船，帶她遊歷各種奇遇。莎蒂身邊沒有許多酷炫的玩具，但透過想像，她為自己創造了諸多生活趣味。與我生於相同年代的爸爸媽媽，應該不少人也經歷過像莎蒂這樣雖物質不富裕，卻充滿想像與創造的快樂童年吧！

如今我們一般家庭的物質生活充裕富足了，許多父母卻太早以3C科技產品餵養孩子，這可是一條不歸路啊！因為3C產品很容易吸引孩子，讓孩子沉迷其中，上癮後就很難戒斷。雖然父母日常要處理的生活大小事很多，丟手機給孩子玩，或許可以暫時解決孩子因無聊而吵鬧不休的狀況，然久而久之，孩子食髓知味，恐怕要求使用手機的時間與次數就會越來越多。一方面長期緊盯螢幕，對孩

子視力的殺傷力不容小覷，一方面沉溺於 3C 產品的聲光中，將大大剝奪其內心想像力與創造力的啟動與勃發，所以我並不鼓勵以科技產品替代父母的角色去陪伴孩子。

其實孩子一旦浸淫在快樂的創造時光，就不容易感到無聊，可能還會抱怨一天太短促。我還記得我的孩子幼小時，每每到了晚上睡覺時間，都還捨不得閉上眼睛睡覺，好像覺得睡覺是件浪費時間的事，醒著才有很多意想不到的好玩事情發生，我的女兒當時甚至會出現一些拒絕睡覺的可愛動作，像是不斷搖頭，以抗拒愛睡蟲的侵擾呢！

整本繪本讓我最有感觸的一句話是：

" More than anything she likes stories, because you can make them from nothing at all."

（比起其他事物，她〔Sadie〕最喜歡故事，因為每個人都能從虛無之中創造出故事。）

閱讀故事也是孩子想像與創造的來源，像繪本中的 Sadie 幻想的幾個角色，都是她閱讀童話故事所得到的靈感。閱讀帶我們進入

生活中無法觸及的領域，成為創意發想的泉源。因此，爸爸媽媽不妨花點心思，在家裡布置一處溫馨的閱讀角，並實踐持續不輟的親子共讀活動，讓孩子從小便親近書、熱愛書，也讓書有機會不斷刺激孩子的思考、啟動孩子的想像。閱讀對孩子身心靈的發展，絕對比 3C 產品的餵養來得好。

延伸電影欣賞

Ralph Breaks the Internet 無敵破壞王 2：網路大暴走

延伸閱讀

想像力對孩子來說何其重要，如何培養想像力？可參考相關教育書籍。

· 想像力的文法：分解想像力，把無從掌握的創意轉化為練習（網路與書）
· 想像力的發電機：為創意裝上翅膀（小典藏）

給爸媽的小提醒

A. 您對於 3C 產品的想法如何？該給孩子使用嗎？

B. 您覺得 3C 產品在何時使用較恰當？

Time Together: Me and Mom

作者：Maria Catherine
繪者：Pascal Campion
出版：Picture Window Books, USA

You and Me, Me and You

作者：Miguel Tanco
繪者：Miguel Tanco
出版：Chronicle Books L.L.C., USA

BOOK

20

用心陪伴創造優質親子時光
TIME TOGETHER: ME AND MOM、
YOU AND ME, ME AND YOU

故事簡介

TIME TOGETHER: ME AND MOM

　　此繪本呈現不同母親與子女相處時的各種溫馨快樂的時光片段，例如：舒服地彼此依偎、隨著音樂輕快跳舞、在藍天下奔跑著捕捉蝴蝶、盪鞦韆飛高高、到超市購物、下廚做菜、享受泡泡浴、坐在桌旁共同創作、討論挑選衣服、分享彼此的小祕密、睡前講故事、擁抱道晚安等幸福歡愉的小時光。孩子每一天都能充分感受到母親從日常生活各方面展現的愛意。

YOU AND ME, ME AND YOU

此繪本從小孩的角度，描繪父子一起做各式各樣的事情所延伸出來的意義，帶給身為父親者和其他大人重新審視自己成年之後人生的機會。

繪本裡提到小孩能教大人的事情可是非常多的！例如：好奇的小孩會向大人提出最困難的問題；活動量大的小孩活蹦亂跳、爬上爬下，可以讓大人維持身材；不怕生的小孩教大人如何與陌生人交談；想像力豐富的小孩帶大人到他們從未去過的地方；小孩教大人如何享受淋雨的歡暢；小孩教大人如何運用創造力；小孩教大人記

得灌溉成長中的植物；小孩提醒大人小心用字遣詞，小孩教大人從不同的角度看世界……所以其實啊，孩子才是爸爸媽媽的良師呢！

貞慧說說話

　　Time Together: Me and Mom 這本繪本呈現親子相互陪伴的各種幸福時刻，可以讓大人回想，育兒過程雖有不少辛苦，但也有許多溫馨時光。親子共處，無論從事動態活動，抑或靜態閱讀，只要用心享受當下，皆能提煉出百般幸福滋味。孩子將來長大後，與父母一同回味過去歲月，這些共同經歷過的時刻，都將閃閃發亮，溫暖一家人的心田。

我喜歡繪本裡的一句話：

"Mom loves me in every single way. Time with Mom is the best part of the day."

（媽媽從各個方面愛護著我，與媽媽相處的時光，是一天當中最棒的部分了！）

這句話讓當媽媽的我讀了好生感動啊！希望我的兩個孩子，即便現在來到青春期，也如幼兒時那般享受與我同在的時刻。親子相處的過程與品質，可以形塑孩子的個性，影響孩子的人格發展，讓我們彼此相互提醒，多花一些時間陪伴孩子，與孩子共創或歡愉或暖心的美麗時光。

而 *You and Me, Me and You* 這本繪本的作者藉由小孩與大人一起從事的多元活動，傳達出小孩帶給大人第二個童年。重新憶起自己童年的模樣，且小孩不斷引領大人去思索自己的生活與人生觀，小孩那種活在當下的態度，也讓大人反省自己是否凡事過於杞人憂天。繪本中有個畫面，小孩在大人面前為植物澆水，即在提醒大人，教養小孩是需要付出心力與勞力的，不能生而不養，就像種植植物一樣，需要給予必要的水分和養分來滋養栽培，植物才能順利健康

成長；小孩的教養其實也是一樣的道理，需要父母用對方法去照顧其身體和滋潤其心靈。

這本繪本裡讓我最有感的一句話是：

"And, even though I am small, I help you to grow."

（我雖然小，但我幫助你成長）

雖然孩子年紀小、身形小，但是透過他們單純的心境，經常能從他們身上看見生命的真諦；而不少大人雖具有成年人的形體，心靈卻並未隨著年紀的增長而成熟，反而經常看不清事物的真相，悟不出道理。倘使能透過與孩子日常點點滴滴的互動，讓孩子來引導大人重新檢視自己的人生，並產生正向的感知與覺悟，將會是多麼美好的事！親愛的大人啊，別倚老賣老的以為小孩說的話全是一派天真無知的童言童語，認真聆聽小孩說話，或許能從中領略出一番賦予生命新能量的道理來喲！

The Sound of Music 真善美

延伸閱讀

親子相互陪伴的時光何其珍貴,得好好把握珍惜擁有、把握當下。
延伸閱讀感人的繪本《雲上的阿里》。

· 雲上的阿里(親子天下)

172

給爸媽的小提醒

A. 您一天陪伴孩子的時間有多少？

B. 這段時間，你們一起從事什麼活動？

C. 用什麼方法可以創造更好品質的時間陪伴
　　孩子？

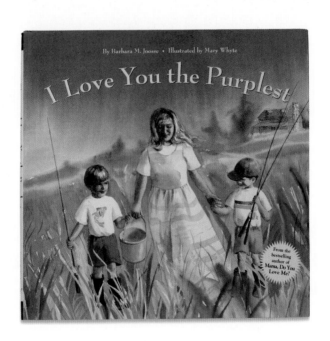

I Love You the Purplest

作者：Barbara M. Joosse
繪者：Mary Whyte
出版：Chronicle Books

BOOK

21

每個孩子是獨一無二的，而母愛是平等無私的
I LOVE YOU THE PURPLEST

故事簡介

黃昏時分，媽媽與兩個兒子 Max 和 Julian 剛吃完午後點心，趁著夕陽與月色交接之際，正是釣魚的最佳時機，三人於是拿著鏟子、水桶和釣竿，到湖邊划船釣魚。

兄弟倆一到湖畔，立刻四處找可能有蚯蚓的土壤，然後開始用鏟子挖土，不久便挖到不少蚯蚓。他們跑去拿給母親看，問她誰挖到最多蚯蚓。媽媽微笑地回答說，Max 的蚯蚓最有活力，Julian 的蚯蚓最肥美。隨後母子三人上船，開始划槳駛往湖中，兄弟倆努力又快速地用槳划著湖水，划得滿臉通紅，吞著口水。Max 和 Julian

問媽媽誰划得最棒？媽媽眼神柔和地說：Julian 的槳划得最深，而 Max 的槳划得最快。

　　母子三人釣魚釣到星光在天空閃耀才結束。Julian 釣了一隻魚，而 Max 釣到三條魚，Max 高興地說自己是最好的釣手，Julian 則把帽子壓低到蓋住臉。媽媽說 Max 是最豐收的釣手，同時也對 Julian 說他是最聰明的釣手，釣的魚是最大、最肥美的。

　　回到家，兄弟倆洗完澡，媽媽帶著孩子準備就寢。這時，睡在上鋪的 Julian 向媽媽道晚安時問：「媽媽最愛誰？」媽媽想了一下，

親聲細語地對 Julian 說，她愛 Julian 達到最藍的程度；就像蜻蜓翅膀末端的那種藍，她愛他那種如洞穴最深、最裡面的顏色，那種深暗能夠讓熊與蝙蝠安心入睡的藍，她愛他就像山中的山嵐、瀑布的水花及輕聲細語般的安詳。這些話讓 Julian 感動地胸口不斷喘息著，最後如釋重負般嘆出一口氣。

這時睡在下鋪的 Max 也問媽媽同樣的問題：「媽媽最愛誰？」媽媽回答他，她愛他的程度就像最赤紅的顏色那般；就像夕陽西下瞬間那樣的火紅天空景色，就像穿越叢林的獵豹的眼睛，就像營火的烈焰，就像展開雙臂的擁抱、神奇披肩的旋風及雷電的咆嘯。Max 聽了笑容越來越燦爛，完全藏不住，然後發出雷一般的笑聲。

最後兩個孩子，一個像月亮般散發著光芒，一個則閃爍如日落時的光輝，而母親睡著了，夢見了她最愛的兩個孩子。

貞慧說說話

　　曾經獲獎的繪本作者 Barbara M. Joosse 與藝術家 Mary Whyte 合作，創作出這本關於母親與一對兄弟的溫馨故事。一天，在湖中釣魚的過程裡，兄弟倆不斷追問母親誰找的蟲最多最肥？誰槳划得最快？誰最會釣魚？最後臨睡前，又問母親：「您最愛誰？」從這些故事情節看得到兄弟相互較勁，想爭取母親的關注與疼愛。這個全宇宙最普遍的親子問題，母親以不同的顏色來詮釋她對兩兄弟的愛；活潑的 Max 是最紅的顏色，安靜的 Julian 是最藍的顏色，兩個顏色加起來就是最紫的顏色。媽媽回答的內容呈現出，每個孩子是獨一無二的，雖然各有不同的特質，但是母親對兩兄弟的愛是不分上下的。全書搭配的水彩插畫，讓故事中的母愛更加柔和、溫馨。

　　全書最讓我最感動的一段話是：

"Mama thought for a minute, and then she whispered, "Why, Julian, I love you the bluest! I love you the color of a dragon-fly at the tip of its wing. I love you the color of a cave in its deepest, hidden part where grizzly bears and bats curl up until night. The mist of mountain. The splash of a waterfall. The hush of a whisper."

媽媽想了一下，輕聲說：「朱利安，我最愛你的沉靜。 我愛你，像蜻蜓翅膀尖上那一抹藍色，像灰熊和蝙蝠出沒的山洞深處的顏色。我愛你，像山中的薄霧，像瀑布飛濺的水花，像說悄悄話時的那一份寧靜。」 （譯文出自：陳科慧，簡體中文版譯者）

這段文字多麼優美詩意，也讓人感受到這位母親對孩子的深入了解，與回應孩子問題之真誠用心的態度。

我真心佩服故事裡的媽媽，非常有智慧地愛著她的兩個孩子；面對手足之間的暗中較勁，媽媽給兩個孩子的，都是正增強，沒有讓哪一個孩子覺得有被手足比下去的挫敗感。

當媽媽在回答：「媽媽最愛誰？」這個問題時，並非回答：「兩個都愛。」，而是針對孩子不同的氣質與個性，去強化他們各自的優點與長處，這點很值得身為父母的我們學習。父母愛孩子不能僅僅只有滿腔的愛，卻用錯方法；這樣那份愛是無法直抵孩子內心，去溫暖且照亮孩子的。家長必須學習如何用言語和行動，去傳達對孩子的關愛與在乎。「溝通」在親子教養上，是非常重要的，不是只有工作職場才需要重視人與人之間的溝通，每天相處在一起的家人，更需要好好地溝通與對話。

我認為小孩之間的較勁很難避免，兄弟姐妹總是暗自希望自己

是最受父母疼愛的那一個。父母要怎麼回應孩子們,讓孩子們感受到父母溫暖的疼愛?而不是感受到父母有意無意地偏袒某一個孩子,這是親子教養必須極為重視的課題。

一旦手足之間因感受父母的偏心而產生嫌隙,其造成孩子內心負面的影響可能是很深遠的,不只影響手足之間的互動,也將在孩子心裡產生陰影與殺傷力,影響其往後生命發展的心理素質與人際互動。

延伸電影欣賞

Tarzan 泰山

延伸閱讀

關於描述「母愛」的暖心繪本,以下這幾本也非常推薦喲!

· 媽媽，你會永遠愛我嗎？（維京）
· 母親（尖端）
· 媽媽的一碗湯（格林文化）
· 我的媽媽（青林）
· *Someday* 有一天（親子天下）

給爸媽的小提醒

A. 您的每個孩子特質是什麼？

B. 每個孩子都一樣嗎？

ON A MAGICAL DO-NOTHING DAY

作者：Beatrice Alemagna
繪者：Beatrice Alemagna
出版：Harper Collins Publishers

BOOK

22

規範孩子的 3C 使用，父母也需要以身作則
ON A MAGICAL DO-NOTHING DAY

故事簡介

又是一個下雨天，小男孩拖著行李跟著媽媽來到偏僻的鄉間小屋；又是爸爸沒有同行的一天，小男孩顯得不甘願。一進屋，媽媽立刻坐到桌前開啟電腦工作，小男孩無所事事地躺在沙發上，玩遊戲機解悶。

媽媽提醒他別再玩，小男孩不聽，媽媽終於拿走他手中的遊戲機，放到雨衣的口袋裡，再回到書桌前工作。

閒到發慌的小男孩，偷偷拿回被媽媽沒收的遊戲機，冒雨到樹林裡。結果，遊戲機掉進水池了！撈不到遊戲機的小男孩，以為又

I looked up at the sky. Sunbeams fell down through a giant strainer and blinded me.
I thought I heard the beat of drums from far away, but that sound was my heart!

要度過無所事事、窮極無聊的一天，卻意外發現身處大自然中的諸多樂趣：把手指伸進潮濕的泥土中，感受著大自然的生命力、爬到樹上望著遠方、和鳥說話、品嘗雨水、呼吸雨後新鮮空氣、收集特殊形狀的石頭、觀察從未見過的昆蟲……，他自問為何以前都沒有做過這些事！

放晴了！陽光穿透烏雲，小男孩全身溼透地回到小屋。他發現媽媽雖然還坐在書桌前，但神情已大為不同，臉上線條柔和許多。媽媽幫小男孩擦乾身體，他好想給媽媽一個大擁抱，跟媽媽分享他在大自然所體驗的一切，不過，他選擇了什麼都不說，只是與媽媽一同坐在廚房，看著彼此，快樂地喝著熱巧克力，這樣就夠了。在這神奇的、無所事事的一天，溫馨的親子時光，一切盡在不言中。

貞慧說說話

故事裡這位媽媽經常需要趕工，而小男孩也不只一次跟著媽媽來鄉村小屋了，且孩子的爸爸有事要忙，不能一同前來。缺乏玩伴的小男孩備感無聊，於是習慣性的依賴 3C 產品打發時間。這本繪本的原文乃義大利文，顯示全球各地的孩子們皆面臨缺乏陪伴、容易沉迷於 3C 數位世界的狀況。

這則故事聚焦在孩子 3C 產品的使用，身為家長的我們或許可以由此得到一些委婉的提醒。我認為家長要以身作則，適度使用 3C 產品；不要自己時常滑手機，卻禁止孩子滑手機，這樣太缺乏說服力，孩子會很難接受父母的訓誡。家長除了以身作則之外，也要規範孩子使用 3C 產品的時間，不能無限度的讓孩子使用，這樣很容易導致上癮沉迷而不可自拔。以我們家為例，我是週五晚上開放 20 分鐘讓孩子使用手機，週六和週日則開放 30 分鐘，其餘時間不能使用，但若孩子需要上網查資料以輔助學習，則不在此限。

其實大人不用擔心孩子若無 3C 產品使用會無聊。孩子無聊，不是大人的責任。不要企圖用各種學習或才藝活動填滿孩子的生活，給孩子空白時間，讓他對自己時間的規劃與安排負責，讓他從無趣當中尋找樂趣，激發內心的想像力與創造力。

也多多帶孩子走向戶外，走入大自然吧！大自然本身就是充滿創造力的場域。孩子，甚或是我們大人自身，都可以在大自然中得到許多的療癒與靈感。就像這個故事裡的男孩，當他走進大自然，頓時發現沒有遊戲機在身邊好像也不是多麼晴天霹靂、多麼難以接受的事兒。男孩說：

"I climbed a tree and looked out as far as my eyes could see. I breathed air until my lung bursting. I drank the raindrops like an animal would. I noticed bugs I'd never seen before. I talked to a bird. I made my biggest splash, then I collected smooth stones as clear as glass and watched the world shining through them. Why hadn't I done these things before today?"

（我爬上樹，用我的眼努力看向遠方，我用力呼吸直到肺緊繃爆裂，我像動物一般飲用雨水，我發現我以前不曾注意的小蟲，我跟鳥兒對話，我大力潑濺，我採集像玻璃般輕透的滑順石頭，看透世界在石中閃耀。我今日之前為何不曾做這些事呢？）

　　在大自然裡有好多新奇、有意思的發現與體驗，那是遊戲機絕對無法帶給男孩的幸福感，甚至有一種與大自然相見恨晚的感受，男孩在心裡對自己說：「為什麼今天之前，我都沒做過這些事呢？」

故事的最後，母子相伴不說話的畫面也很動人；孩子生了就是要陪伴，不能把孩子丟給才藝班或學校，更不能不負責任的丟給3C產品去陪伴。父母花時間陪伴孩子，親子的情感連結才有可能建立並深化。其實陪孩子說話，不一定是為了要教他什麼，也不見得要傳達什麼人生大道理，就只是因為愛孩子、在乎孩子，所以選擇陪伴，選擇透過對話，去了解孩子內心，也讓孩子了解我們父母的內心。

現代人生活太忙碌，我們都忘了「慢下來」的重要與必須。且讓我們工作的時候好好工作，放假時就先把待辦事項放一旁，學習如何慢活，和孩子偶而也來個無所事事的一天。這樣看似沒有生產力的一天，其實我們的內心可能無形中得到許多的豐盛：因為用心陪伴孩子，與孩子情感連結的豐盛；以及創造力在腦子放空時，自然而然啟動的豐盛等。

當然我也很清楚，許多父母忙於工作，甚至假日還得應公司要求到辦公室加班，真的無法陪伴孩子。如果是這樣的情形，還是建議父母不要為了填滿孩子的空白時間，而丟3C產品給孩子無限度的使用，或是逼迫孩子去上各種才藝班。放手給予孩子適度的空白時間，讓孩子學習處理自己的無聊時光。孩子要如何自處，其實不

用大人以成年人的角度教太多，這樣反而會扼殺孩子與生俱來的創造力與探索世界的豐沛好奇心。

延伸閱讀

關於網路遊戲、3C 產品的議題也可以參考下列書籍。

‧ APP 世代在想什麼：破解網路遊戲成癮、預防數位身心症狀（心靈工坊）
‧ 破解 APP 世代：哈佛創新教育團隊全面解讀數位青少年的挑戰與機會（時報）

給爸媽的小提醒

A. 您的家庭裡是否訂定了 3C 產品的使用時間？

B. 您自己也以身作則嗎？

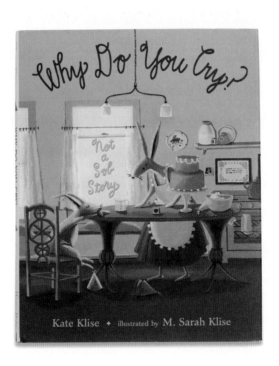

Why Do You Cry?

作者：Kate Klise
繪者：M. Sara Klise
出版：Henry Holt and Company

BOOK

23

引導孩子學習適當釋放情緒
WHY DO YOU CRY?

故事簡介

小兔要過五歲生日了！他要辦一個慶生會。他跟媽媽說：我長大了，我再也不會哭了；哭，是嬰兒才做的事。因此他決定，慶生會邀請的客人都要是不哭的朋友。結果他邀請的朋友都承認，他們偶而還是會哭。小兔好驚訝，不了解大家長大了，為何還要哭？小松鼠回想，當大家快樂地玩在一起，卻沒有邀他加入，他就會哭；貓咪表示，深夜獨自在街頭，看見巨大邪惡的黑影，會讓他害怕得哭；小兔子年紀最大、最要好的朋友老馬則說：當然會哭啊！像是被蜜蜂叮到，會痛得大哭！

　　小兔回家跟兔媽媽說，慶生會只有小兔與媽媽兩個人參加，因為大家都還是會哭，他不要有人在他的慶生會上哭，因為只有嬰兒才會哭。結果兔媽媽對小兔說，她也不能參加小兔的慶生會，因為媽媽有時也會哭。

　　小兔驚訝地問媽媽：為何還會哭？媽媽解釋，凡是人都有感情，就像兔媽媽看到感動的電影和牙疼時，也是會哭的。還有，媽媽說當她看到自己的孩子長大，也會感動得喜極而泣。小兔顯然還無法

理解為何高興還要哭，媽媽說有時候哭泣其實也不需要任何理由。小兔似乎有些兒明白了，他跳進媽媽的懷裡，問媽媽即使小兔長大成年，偶爾還會哭泣，媽媽可以接受嗎？媽媽欣然地表達：當然可以。

顯然小兔有所領悟了──慶生會當天，所有的朋友都受邀來參加。而看到自己孩子長大，兔媽媽當然忍不住地哭了，這是驕傲喜悅的淚水啊！

貞慧說說話

現今有些父母仍維持較傳統的觀念，覺得小孩子，尤其是男孩，到達一定年紀後，就不該外顯自己傷心的情緒，尤其是哭泣。我覺得這是不健康的壓抑。我們常聽說「男兒有淚不輕彈」，但這樣的教育和社會期待，導致男性在這個社會過於壓抑自我情緒，不僅可能引發身心問題，也恐導致家庭親子、職場社交與衍生的諸多社會問題。

透過這本繪本，我想跟大家分享，孩子當然不能用「哭泣」來作為索愛的手段，或逼使父母或其他長輩答應他的各種需求。有的

小孩，甚至有的大人會習慣用「哭」，來達到他們希望對方做到的事，這樣當然並非好事。但如果只是很自然地流露難過、委屈或是喜極而泣的心情，則是一種健康的情緒釋放，大人無須自我壓抑，也不要抑遏小孩去表露這樣的情緒。

如果小孩想哭，家長卻以「長大不准哭」為由而制止，壓抑孩子情緒的宣洩與釋放，長期下來孩子將情緒悶在心裡，反而不是很健康；情緒積壓在心裡太久，一旦爆發出來時，會是很可怕的負面能量。我建議孩子平常有一些情緒，父母就即時的去協助他們化解掉，而不是要求他們壓抑。

在這本繪本裡，兔媽媽提到有時候哭，並不是因為難過，可能是因為感動，可能因為開心；哭有各種不同的原因，有時快樂時也會想要流眼淚。家長不妨帶孩子去認識多元的情緒面向，哭不一定都是因為難過、傷心，例如故事裡，小兔的慶生會上，兔媽媽留下眼淚，這是因為兔媽媽看到小孩長大了，有感動、有欣喜，所以流下了喜悅的眼淚，這是非常動人且珍貴的情緒表達啊！

繪本裡，我很喜歡這一句話：

"And even when you are big, you still might need to cry once in a while."

（即使你長大，你有時仍然需要大哭一場。）

　　且讓我們溫柔地告訴孩子：「即便你長大成年，也不需要把所有的眼淚往心裡藏，有時候用眼淚去釋放一些感受，很好、很正常，無須自我批判。」

　　身為家長的我們，有時候也不用在孩子面前刻意隱藏我們的眼淚。有時看電視，看到某一則觸動我們的新聞或戲劇片段，若禁不住落淚了，不用刻意掩飾如是自然流露的情緒，如此孩子才有機會看到，大人也是會流淚的，流淚一點都不尷尬丟臉，也不是弱者的表現。

　　此外，有時父母在生活中也會遭逢一些難題，當下因為某些情緒而流下的眼淚，也不用避諱讓孩子看見。當然如果是太沉重的眼淚，年紀過小的孩子無力負荷的話，大人還是要適度的隱藏情緒，免得孩子不知如何在心裡消化大人的這些複雜人事，而承受超過他心智年齡可以負載的諸多人生艱難。不過，如果父母評估有些事讓孩子知道無妨，流下的眼淚讓孩子看見也不會造成其心靈受創，那麼就適度地在孩子面前流淚吧。讓孩子知道大人也會哭、也會流眼淚，他們長大之後，當遇到有想哭的情緒時，就好好哭一場吧！流淚真的真的沒有什麼不好。

Inside Out 腦筋急轉彎

延伸閱讀

《Big Boys Cry》這本繪本談的是男孩即便長大了，還是可以安心哭泣的，眼淚和情緒不要憋在心裡啊，會憋出病來的！

· *Big Boys Cry* (Ramdom House)

給爸媽的小提醒

A. 您的孩子是否壓抑著什麼情緒？

B. 我們該怎麼引導孩子釋放情緒？

Night Job
作者：Karen Hess
繪者：G. Brian Karans
出版：Candlewick Press

24

職業不分貴賤，
父母兼顧工作與育兒，讓親子關係更緊密
NIGHT JOB

故事簡介

夜幕降臨，小男孩準備好三明治後，就跟著父親出門。小男孩的父親負責校園清潔的工作，這天輪到他值晚班。坐在爸爸的機車後面，小男孩看見了城市夜晚的模樣：紫丁香的花香、幾乎無車輛的幽暗馬路、河上漁船的點點漁火、路途上害羞的夜行動物等。

進了學校，爸爸開始他的清潔工作，小男孩在一旁自己玩遊戲，邊陪伴著工作的爸爸。有時，小男孩也幫助爸爸清潔、拖地，兩人一起聽著收音機傳來的運動賽事轉播，為支持的球隊歡呼。

休息時間，爸爸帶小男孩到庭園坐下，兩人分享著小男孩準備

As Dad polishes the library,
I stretch out on the green vinyl sofa

and read aloud to him
until I fall asleep.

的三明治和酸黃瓜。稍作休息後，爸爸繼續工作，小男孩躺在沙發
上看書，讀到睡著了。清晨四點，爸爸的工作結束，喚醒沉睡的小
男孩，準備回家了。

　　經過一夜的工作，爸爸回到家也累了，坐在沙發看一下報紙，
小男孩貼心地負責清理餐盒的垃圾。看到爸爸在沙發上睡著了，小
男孩爬到爸爸的身邊，依偎著一起進入夢鄉。

貞慧說說話

好感人的父子特殊溫馨相處時光的故事啊！還好是週五晚上，隔天是週末假期，小男孩不需早起上學，否則熬夜陪爸爸上夜班，會讓人擔心小男孩隔天會精神不濟呢！

我挑選這本繪本，是希望分享給爸爸媽媽們：「莫再灌輸孩子，『萬般皆下品，唯有讀書高』的這種想法，這樣的年代已經過去。」並不是所有孩子都很會讀書，就像身為父母的我們，也不是每個人在求學時期都很會讀書一樣；難道孩子不會讀書，未來就不會有所成嗎？我們不也常說：「行行出狀元」？像這個故事裡的爸爸，他負責學校的清潔工作，有時要值晚班，必須在深夜到學校打掃環境。我非常感動的地方是，即便爸爸不是做所謂高階的工作，而是一個基層勞工，做的是清潔工作，但爸爸以敬業的態度，誠懇認真地面對工作，付出勞力賺取基本的薪水來養家活口。他帶著孩子到他工作的現場，孩子陪伴著父親；讓孩子看見爸爸這麼用心的面對工作，對孩子來說真的是很好的示範，讓孩子知道，不管今天從事的是什麼樣的工作，基本就是要盡心敬業。

我有一位學生，他的爸爸是在工地工作的工人，他非常以他爸爸為豪。曾經有次下課聊天時，他對我說，他崇拜他的爸爸，爸爸

是他的英雄，爸爸每天都騎車騎好遠到工地工作，付出勞力辛苦賺錢。他完全沒有因為爸爸是所謂的比較基層的勞工而感到自卑，不敢說出爸爸的職業；相反的，他非常以爸爸為傲。他說這些話時，眼睛閃閃發亮！那時，我非常感動，覺得這孩子的心態很健康。相信他爸爸給他的教育是很棒的，沒有讓這孩子戴著有色眼光去看待不同職業，甚至將職業分階層，認為醫師和律師等這些職業，就是所謂的上等階層，而付出勞力的工人、打掃街道的清道夫，就是屬於下層，他的爸爸看來應該沒有給他這樣的觀念，所以這孩子的想法也特別的健康。

我想鼓勵一些爸爸媽媽，不要覺得自己的工作微不足道。應該讓孩子看到父母在工作職場展現的敬業態度，讓孩子知道做什麼工作都很好。我們都是付出勞力與心力認真對待工作，只要對得起良心，而不是以混水摸魚、得過且過的態度去面對工作的話，都值得掌聲鼓勵，都值得成為孩子的榜樣。

有時不妨讓孩子看看你工作的樣子吧！除了家庭生活中，孩子們看得到的爸爸媽媽的模樣之外，有機會也帶孩子去你的工作場域，讓他們看到你的工作環境，你面對工作的態度，你與同事的相處互動，只要你的心是良善的、願意付出一己之力去助人的，孩子

就能從你的身教得到很棒的人生的禮物。

這本繪本另一個感動我之處，在於父子情深的部分。文末有這麼一句描述：

"I climb up beside Dad and soon we are drifting away together..."

（我爬上去一位在爸爸旁邊，很快就一同睡去。）

父子忙完回到家，疲憊不堪的爸爸很快地睡著，小男孩也依偎在爸爸的身邊，一同進入夢鄉。這個畫面非常觸動我心。

我真心覺得，父母陪伴孩子的時間若不夠，很難與孩子建立緊密的情感連結。若希望親子情感交流，達到一定的深度與親密度，就一定要花時間和心力去陪伴孩子，要先有「量」，「質」方能慢慢提升。

既然生了孩子，就要好好養育、陪伴。透過日常的親密互動，讓孩子有機會認識爸爸媽媽在生活與職場的不同面向，同時也讓我們自己有更多的機會去了解我們的孩子。每個孩子都是不一樣的，必須花時間細膩地陪伴、了解，然後進入他們的心裡。這則故事裡

的爸爸能夠與孩子的心如是靠近，一定是在日常生活中累積了許許
多多的陪伴而來。雖說孩子與身為父母的我們流著相同的血液，然
而如果生下孩子後，絲毫不用心、用情去陪伴，孩子是不會因為我
們是他們的親生爸媽，就自然產生濃厚情感的。

延伸電影欣賞

搭錯車

延伸閱讀

Fly Away Home 敘述在機場過夜生活的父子，讓孩子也學習如何
支持父母的環境和感受父母的辛苦。

·Fly Away Home (Clarion Books)

給爸媽的小提醒

A. 您為了家庭的生活品質，忙碌於工作嗎？

B. 如何分配時間才能妥善運用時間，把握美好的親子時光？

The Day War Came

作者：Nicola Davies
繪者：Rebecca Cobb
出版：Walker Books

25

引領孩子關注國際議題，擴大關懷視野
THE DAY WAR CAME

故事簡介

那是個尋常的日子，女孩和爸爸媽媽還有初生弟弟一同吃早餐，然後去上學。在課堂上，女孩學習、唱歌、畫畫，一切皆如往常，歲月靜好。

吃過中飯後，突然砲火轟隆隆地襲來，炸毀了熟悉的城市，炸死了無辜的百姓，戰爭發生了！倖存的女孩失去了家人，被迫踏上逃難之路。她孤伶伶地跟著人群，搭卡車穿越荒野，坐船越過海洋，終於踏上了一片陌生的陸地，被安排住進一個臨時小帳棚，女孩成了難民。女孩無法掙脫戰爭的陰影，戰爭已在她的小小心靈造成創

傷。

　　一天，她走出難民營，來到附近的小鎮。那個小鎮，有著跟她故鄉一樣歲月靜好的氛圍。然而當地人給予的異樣眼光與避之唯恐不及的舉動，讓女孩感到戰爭並沒有離去。她來到一間學校，想加入課堂和教室裡的小朋友一起學習，卻被老師拒絕：「這裡沒有椅子給妳坐。」女孩感受到，戰爭跟到教室裡來了。

　　她難過地跑回難民營，蓋著毯子蜷縮在角落，女孩覺得戰爭把全世界和所有人都捲進去了。沒多久，來了一個男孩，為女孩帶來

一把椅子，告訴她可以來教室上課了。不只如此，男孩的朋友們也一人帶來一把椅子，難民營的其他孩子們也都有了椅子可以一塊兒坐在教室學習。男孩帶來椅子的善意，讓女孩感受到戰爭已遠離她的內心。

難民營帳篷外的路上，一張張椅子排成兩排；每當人心彼此多靠近一點點，戰爭便能一步步被擊退。

貞慧說說話

此繪本是一真實的故事引發作者創作靈感所寫成。作者在新聞網站上讀到一首聲援難民孩子的詩，此詩並搭配著名藝術家 Jackie Morris 與 Petr Horácek 共同創作的「空椅子」插畫。接著每天都有不同民眾，畫一張空椅子接力投稿到報紙網站，象徵眾人團結共同來聲援一無所有、無處可去、失去受教機會的難民小孩。作者希望透過繪本提醒大家，仁慈的力量不容小覷，它能夠為世界帶來希望與更美好的未來。

這本繪本是我在這本書裡選取的題材最不一樣的一本，我希望把教養的格局拉大一點，期盼父母在教養孩子時，也可以試著帶孩

子去看見更大的世界，接觸、探究不同的議題，如：戰爭、難民、社會正義或是全球暖化議題等。沒有大人的引領，很多孩子是沒有機會打開視野的，他們可能每天的生活侷限在打電動，抑或專注於學校課業、重視同儕互動，或開始對異性萌生好奇，進而產生愛戀情愫……這些其實都很正常，都是孩子這個年紀會關注的面向。然而我盼望更多人願為孩子開啟更寬闊的視野，在教養的過程中，我們可以帶孩子藉由書本和國際新聞去知曉世界的脈動，去了解目前世界上哪些地方正在發生什麼樣的事情？孩子的視野被開啟後，看待事情的角度、胸懷都會不一樣。

國際議題看似嚴肅，孩子可能會覺得：「那些事情離我好遙遠，那麼遙遠的人事，跟我有什麼關係呢？就算我知道哪裡有大量難民、哪裡的人民正飽受戰爭之苦，我也只能心裡難受，因為我只是個小孩，做不上什麼。」我覺得可以先從繪本去觸動孩子的心。像這本繪本的背後有個真實的故事，真實的故事就有其觸動人心的力道；如果一個故事觸動了孩子，孩子的動機被引爆，他可能就會進一步想探究這個議題。所以我覺得繪本是孩子接觸多元議題與國際時事的很好入門點。真實故事以動人的圖文呈現，孩子的心被感動了，進而啟動自主學習歷程，透過閱讀相關多元文本，如影片、

網路資料與書籍，日積月累下來，孩子看世界的觀點與視界都會更具深度與廣度。

我本來也不太關心國際議題，一向活在自我的小確幸中。然而熱愛繪本如我，在大量閱讀繪本的同時，好多繪本中的議題開啟了我的視野，讓我更加想要去了解各個面向的議題。這顆對人事物的好奇心，以及想要關心世界的善心一旦被啟動了，就自然會找到方法，再去深入的就某一議題探索和關心。

因此我也想藉由這本繪本與爸爸媽媽們分享，可以帶著孩子多接觸議題繪本，讓孩子的視野有機會擴大。像我帶我的學生閱讀「貧窮」、「童工議題」相關繪本時，有學生告訴我，在我帶他們看這些繪本之前，他們真的以為只要是與自己差不多年紀的小孩，就是過著與自己差不多的生活方式，沒想到世界各地的小孩竟有如此截然不同的遭遇。這就是好繪本的力量了！它讓孩子有機會看到更大的世界，並且心有所觸動，同理心被引發，進而想要以實際行動表達關懷。一名學生問我：「老師，這些人看起來好可憐，我可以做點什麼來幫助他們呢？」孩子的同理心是我們無法用說教的方式去點燃的，是故事觸動了孩子，讓他們真的想要做點什麼來表達心中的愛。

我們常覺得自己是平凡小人物，無力去改變世界的大問題，但就像這本繪本背後的故事：每個人都畫一張椅子，共同響應支持難民小朋友到校求學。一個人的力量雖小，但如果大家都願意加入、一同成就，就有機會匯流成河，產生不容小覷的力量。所以千萬不要小看自己，只要有心，我們一定都想得到方法為他人做點什麼。

　　讓我十分感動的一句話是，當男孩搬一把椅子到難民營給難民小女孩時說：

"My friends have brought theirs (their chairs) too, so all the children here can come to school."

　　男孩與其他同學藉由實際行動，表達對小女孩的同理與關心，這群孩子所展現的善良令人動容。我相信，即便是個孩子，有願就有力，大家絕對都能找到自己的方式，讓這個世界往更美好的方向走去。

延伸電影欣賞

讓愛傳出去

延伸閱讀

關於難民議題相關繪本，再推薦幾本給大家參考哦，如下：

‧ 小難民塔莉亞（小樹文化）

‧ *My Beautiful Birds* (Pajama Press) 再見，我美麗的鳥兒：一個敘利亞難民小孩的故事（小魯文化）

‧ *The Journey* (Flying Eye Books) 旅程（字畝文化）

‧ *Stepping Stones: A Refugee Family's Journey* (Orca Book)（這本繪本的畫面非常厲害，全是以石頭排列出來的。文字部分為英文和阿拉伯文雙語呈現。）

‧ *Four Feet, Two Sandals* (Eerdmans) 四隻腳，兩隻鞋（小天下）

‧ *Refugees and Migrants* (Children in Our World) (B.E.S.) 世界中的孩子 2 為什麼會有難民與移民？（親子天下）

‧ 世界公民（聯經）

給爸媽的小提醒

A. 您的孩子是否只專注於學校課業，忘了關注國際上發生的事？

B. 該如何做才能拓展孩子的國際觀與視野？

Linking English
當孩子的伯樂：從英文繪本吸收教養正能量

2020年8月初版　　　　　　　　　　　　　　定價：新臺幣370元
2020年11月初版第二刷
有著作權・翻印必究
Printed in Taiwan.

著　者	李　貞　慧	
叢書主編	李　　　芃	
攝　影	鄧　詠　珊	
潤稿校對	童　　　宇	
整體設計	Anzo Design Co.	

出　版　者	聯經出版事業股份有限公司	副總編輯	陳　逸　華
地　　　址	新北市汐止區大同路一段369號1樓	總編輯	涂　豐　恩
叢書編輯電話	(02)86925588轉5317	總經理	陳　芝　宇
台北聯經書房	台北市新生南路三段94號	社　長	羅　國　俊
電　　　話	(02)23620308	發行人	林　載　爵
台中分公司	台中市北區崇德路一段198號		
暨門市電話	(04)22312023		
台中電子信箱	e-mail：linking2@ms42.hinet.net		
郵政劃撥帳戶	第0100559-3號		
郵撥電話	(02)23620308		
印　刷　者	文聯彩色製版印刷有限公司		
總　經　銷	聯合發行股份有限公司		
發　行　所	新北市新店區寶橋路235巷6弄6號2樓		
電　　　話	(02)29178022		

行政院新聞局出版事業登記證局版臺業字第0130號

國家圖書館出版品預行編目資料

當孩子的伯樂：從英文繪本吸收教養正能量/李貞慧著．初版．
新北市．聯經．2020年8月．216面．14.8×21公分（Linking English）
ISBN　978-957-08-5538-8（平裝）
[2020年11月初版第二刷]

1.推薦書目　2.親職教育　3.繪本

012.3　　　　　　　　　　　　　　　　　　　　109006464